Las tribulaciones de una familia decente

Mariano Azuela

LAS TRIBULACIONES DE UNA FAMILIA DECENTE

Edited by Frances Kellam Hendricks
and Beatrice Berler

THE MACMILLAN COMPANY, NEW YORK
COLLIER–MACMILLAN LIMITED, LONDON

First Printing

Library of Congress catalog card number: 66–13972

Las tribulaciones de una familia decente by Mariano Azuela is reprinted, with minor abridgments, by permission of Enrique Azuela.

THE MACMILLAN COMPANY, NEW YORK
COLLIER–MACMILLAN CANADA, LTD., TORONTO, ONTARIO

Printed in the United States of America

Foreword

Mariano Azuela is the most widely known and most frequently translated Mexican novelist of the twentieth century. Although more than fifty years has passed since the publication of his most successful novel, *Los de abajo,* his reputation during that period has not declined. On the contrary, his literary stature has steadily increased.

Azuela's place of honor in the history of Mexican literature seems justified for a number of important reasons. Prominent among these is the fact that around his early, pioneering novels—particularly *Los de abajo* (1915) and *Las tribulaciones de una familia decente* (1918), which deal with the critical period of internal uprisings in Mexico after 1910—there has developed a unique "school" of national literary expression: the literature of the Mexican Revolution.

Azuela's significance, however, is not merely that conceded to him as the major chronicler of a critical period in his country's history. His appeal is more than that of a sociological novelist. Through a stroke of good fortune, the literary style that he had gradually evolved in his pre-Revolution novels (a style modeled on the naturalistic prose of the author he most admired, the French writer Emile Zola) proved to be ideally suited to the realistic depiction of the violent, profoundly disrupting events of the Revolution and of the people inexorably swept up in those events. He brought to the portrayal of those people, moreover, a gift for characterization that few writers of his time could match.

There is perhaps no better illustration of Azuela's ability for bringing characters to life than that offered in *Las tribulaciones de una familia decente.* In the first part of the novel, narrated by the young son, César, the general circumstances of the Vásquez Prado family's plight are described through the eyes of a naive youth. César is obviously not able to perceive the nature of the moral crisis that he and those around him are experiencing. In the second part, the family's story is resumed by an omniscient narrator—who is, of course, Azuela himself. Here the pace picks up, things begin to happen, certain family relationships become more clearly defined, and the true personalities of these individuals begin dramatically to emerge. In this section, the author has firm control of his narrative and he brings it to a strong, affirmative climax.

Azuela's justly celebrated novel *Los de abajo* has been available to North American students of Spanish for over twenty-five years. Its action covers roughly the same period as *Tribulaciones* (1914–1915), but it presents in essence a soldier's vision of the war during those years. With the present conscientiously edited and abridged version of *Las tribulaciones de una familia decente,* Frances Kellam Hendricks and Beatrice Berler, translators of two of his novels, now make available a narrative which sees the same period from a civilian's point of view, from the perspective of a family whose very existence is threatened by a chaotic sequence of military and political developments. *Tribulaciones,* therefore, is more than simply a novel about a certain phase of the Revolution. It is a distinctly human document in that it deals with a single family under stress. It is also, in a broader sense, a novel that speaks eloquently of what is universal and what is individual in the Mexican character.

D.A.Y.

The editors of this volume wish to express appreciation to Enrique Ruiz F. of Mexico City for his assistance in interpreting many *localismos* in the text.

Contents

Las tribulaciones de una familia decente

Introduction

HISTORICAL SETTING: THE MEXICAN REVOLUTION, 1910–1917

As the Mexican Revolution ran its course, those who experienced it felt themselves to be in the midst of a chaotic, formless upheaval. The fall from power of Don Porfirio Díaz proved ultimately to be a turning point in Mexican history. The Revolution that followed his fall developed form, principle, and discipline in the course of time. But the years during which the action of Mariano Azuela's novel, *Las tribulaciones de una familia decente,* takes place were years of confusion, fear, and tragedy. In this novel about the trials endured by one family of the privileged class of Don Porfirio's era, Azuela's interest was to explore his characters' reactions to that time of trouble. The emphasis is on people rather than on the Revolution itself. Book I is narrated by César, the younger son of the family, who disclaims any intention of relating historical or political events; he adds that nevertheless it was necessary to do so, for these events had become entwined with the personal affairs of the family.

Events of the spring of 1914, before the action of the novel, are significant to its development. Don Porfirio Díaz dominated the affairs of Mexico for more than a quarter of a century. His régime appeared to be solid and on good terms with other countries. It maintained order, upheld the country's credit, and offered splendid opportunities for investment. The structure proved to be no more than a façade, since its benefits accrued only to the favored and the powerful, with misery and oppression the lot of the vast majority of Mexicans. Cunning and effective measures by which Díaz carried out the old principle of divide and rule made a mockery of the constitutional guarantees of personal freedom and civil rights. When the régime grew old and tired and when the essential problem of dictatorship—that of succession—revealed its fundamental weakness, the weight of accumulated grievances toppled it.

In 1908 Díaz had indirectly opened the question of the succession (in an interview accorded James Creelman of *Pearson's Magazine*) by indicating that he would retire in 1910 if an authentic opposition party should appear whose nominee could win legally. Although the interview was presumably for foreign consumption only, it led Francisco I. Madero, member of a prominent family of northern Mexico, to issue his famous and influential book, *The Presidential Succession of 1910, the National Democratic Party*. In it he proclaimed adherence to a program of effective suffrage, no re-election, and separation of church and state. This initial statement by the first great leader of the Revolution was vague and indefinite about social and economic problems. Landless, debt-burdened peasants had little understanding of the objectives he sought. They had, moreover, great needs for which his program promised slight redress.

With his enunciation of the cause of no re-election, Madero became the center of the opposition to Díaz. As the presidential candidate of the Anti-Re-electionist Party in 1910, he campaigned with energy. Increasing evidence of Madero's popular appeal led Díaz to order his arrest. After the balloting, the announcement of the re-election of Díaz and the unpopular vice-president Ramón Corral came as no surprise.

Madero escaped from prison and took refuge in San Antonio, Texas. There he proclaimed the Revolution in the "Plan of San Luis Potosí," which called for armed resistance against Díaz, proposed new elections, and, in general terms, promised land reform. He found response in the north from that mightiest *caudillo* (leader) of the peons, Francisco Villa, and in the south from the champion of the landless, Emiliano Zapata. The collapse of the Díaz administration followed Villa's capture of Ciudad Juárez, May 11, 1911. Reluctantly Díaz went into exile on May 25.

When Francisco I. Madero entered the capital city on June 7, the people—vitalized by hope, though still bewildered by the swift collapse of Díaz's government—gave him a joyous and tumultuous welcome rivaling that received by Benito Juárez in 1867 after his victory over Maximilian. The sick even hoped they might be healed by touching Madero's garments. His later martyrdom confirmed the attitude toward him that his success had aroused, and today Mexico reveres him as "The Redeemer."

Madero became president following the elections in October which were "unquestionably . . . among the cleanest, most enthusiastic, and most democratic elections in Mexico's history."[1] José Pino Suárez became vice-president. The new president soon found himself the center of clashing interests and ambitions. An idealist animated by good will and a spirit of moderation, he was trusting and desirous to please, but not always willing to confide in his true friends.

Problems of administration particularly plagued him. Though he needed men of experience, his retention of some officials of the old regime offended his followers. He was not always, however, a good judge of men. Azuela was among those who recognized the inadequacy of the regime and feared for its fate. In a work written in 1911, he denounced "the swarm of black bees and flies, the pests of the Díaz regime, who as followers of Madero just for the sake of their own interests were soon to tear the control of the Revolution from those who suffered to see it born."[2] The Congress provided little support for Madero's administration, for the Senate was largely *porfirista* (in sympathy with the regime of Don Porfirio) and the *maderista* majority (supporters of Madero) in the House of Deputies was torn by factionalism. The press to which he gave its freedom subjected him to severe criticism. His demobilization of the revolutionary armies angered some of its leaders and left him at the mercy of the federal forces.

Discord within the revolutionary movement weakened his position. Pascual Orozco in the north revolted because he thought his troops received less than their fair amount of funds; his defection earned him the unrelenting hatred of Villa and his followers. Emiliano Zapata, the leader in Morelos and the south, turned against the regime because Madero retained the *jefatura política*[3] of Díaz and because he failed, from Zapata's point of view, to deal adequately with land reform. In November, 1911, Zapata announced the "Plan of Ayala" and his support of Orozco.

Madero's troubles multiplied. Though he showed physical and moral courage throughout his public career and truly believed that Mexico, if properly developed, had a democratic future, his idealism obscured his insight into practical affairs and made him vulnerable to those who would take advantage of him. The final blow came from within the federal forces on whom he mistakenly depended to

[1] Stanley R. Ross, *Francisco I. Madero, Apostle of Mexico* (New York, 1955), 215–216.

[2] *Obras Completas de Mariano Azuela*, 3 vols. (Mexico City, 1958–1960), II, 799–800.

[3] An office on the local level whose occupant, appointed by the central government, exercised control over municipal affairs.

suppress a revolt against him. One of the instigators of the revolt was Félix Díaz (nephew of the old dictator), who was a prisoner in the capital, his life spared by Madero after the failure of a barracks revolt he had promoted in Veracruz. On February 9, 1913, a group of rebels delivered him and Bernardo Reyes, an ex-*porfirista* also in the conspiracy, from prison. Reyes lost his life in the ensuing action. With the rebels making a stand in the Ciudadela, an old Spanish fortress, a bloody and senseless struggle ensued known as *la decena trágica* ("the ten tragic days"). Commander of the federal forces, General Victoriano Huerta, ordered by Madero to suppress the rebellion, was actually conspiring with its leaders to overthrow the president.

Under the aegis of U.S. Ambassador Henry Lane Wilson, a circumstance that still rankles with Mexicans, Huerta and Félix Díaz came to a secret agreement to stop the bombardment of the helpless city on condition of the removal of Madero from office. Huerta was to become provisional president of Mexico with the understanding that Díaz would follow him in a subsequent election. Madero and members of his government were imprisoned. On February 22, officers of Huerta shot Madero and his vice-president José M. Pino Suárez in the course of what was announced as their removal from one prison to another. By a series of complicated maneuvers designed to give a cover of constitutionality to his actions, Huerta was able to seize power during the confusion which followed.

Whatever may have been Madero's shortcomings as president, each element of the society that he attempted to govern had a part in his failure to bring peace and a government of law to Mexico. The landowning aristocracy was unwilling to cooperate in finding a solution for agrarian problems. Impatient peasants, weary from the weight of their misery and angered by the frustration of their hopes, struck out in anger and revenge, soon learning how to use the machetes and guns placed in their hands by ambitious leaders.

In his martyrdom Madero became the Apostle of the Revolution. Those, like Azuela, who longed for a government of law and justice, who heard the voice of the oppressed with sympathy, who valued integrity and virtue, have revered and cherished Madero's memory. Azuela had early found in himself a response to Madero and never wavered in his admiration for the national hero. When he was more than seventy years old, he wrote, "A decision freely undertaken tied me to the revolutionary movement which Don Francisco I. Madero initiated. . . . I am not sorry now for having taken it, nor have I ever been."[4] In various works he reveals the honor in which he held Madero. A statement by a character in one of his novels of the Revolution epitomizes Azuela's view: "Christ, Redeemer of the World; Hidalgo, redeemer of the race; Juárez, redeemer of our consciences; Madero, redeemer of the poor, the humble."[5]

Madero's fall and subsequent death were shocks that revitalized the faltering revolutionary movement in the north. In the south, Zapata found little to his liking in the new government. The unrelenting opposition from the newly elected President of the United States, Woodrow Wilson, denied Huerta needed diplomatic recognition.

Huerta's position seemed strong: it rested primarily on the federal army, at that time larger and better supplied than the forces of the revolutionary leaders. The central government became completely conservative and frankly military in character. Probably impressed by the military situation, numerous governors and public officials acknowledged his authority. Many of the foreigners and conservative elements of society in Mexico hailed the new administration in the hope of returning to their comfortable days of Don Porfirio's time. Huerta received the support of those elements whose concerns centered on their privileges and property. In *Las tribulaciones de una familia decente* Azuela typifies those elements in the person of Agustinita, whom he portrays as insensitive, materialistic, and selfish.

In the north there was a quick reaction to the events culminating in Madero's death. A little more than a month afterward, on March 26, 1913, Venustiano Carranza, Governor of Coahuila, announced from his hacienda the "Plan of Guadalupe." He denounced Huerta's government as illegal and pronounced himself "First Chief of the Constitutional Army in Charge of the Executive Power." With the support of the state legislature he undertook the leadership of the Revolution.

The First Chief, his preferred title, was a cold, austere man, unshakable in his faith in himself and in his determination to provide Mexico with an essentially civilian government. The dark glasses he habitually wore intensified the impression he gave of being remote and enigmatic. Though he had supported Madero and now proposed to continue the Revolution, he did not arouse universal admiration

[4] *Obras Completas*, III, 1066–1067.
[5] *Ibid.*, II, 807.

among the *maderistas*. Azuela reveals his own antagonism in various scornful remarks about *carrancistas* (followers of Carranza) in *Las tribulaciones* in the section describing Carranza's entrance into the center of the capital, and in having Pascual, the exponent of greed and opportunism, throw in his lot with Carranza.

Francisco Villa, loyal to Madero and his memory, at first supported Carranza with decisive effect. Escaping from prison in Mexico, Villa fled for safety to the United States, then returned to Mexico to take up the cause of the Revolution again. Peasant and Indian forces flocked to the banner of the most picturesque *caudillo* of them all, whose name was a power in the north. It was "Villa . . . the magic word . . . the great man . . . the idol . . . the invincible warrior" who aroused the fascinated admiration of the followers of Demetrio Macías in Azuela's best-known novel, *Los de abajo*. Irregularly supplied in a haphazard fashion, loosely organized, held together by the traditional personal bond to a leader, they had enthusiasm and a will to fight that overcame their deficiencies. The contrast between Carranza and the emotional, impulsive Villa with his peon background was more fundamental than that arising from their differences in caste and personality. Villa's suspicion of Carranza's civilian orientation was a product of his own essential militarism. Neither could accept the position or authority the other assumed or claimed. Their ultimate rupture was a natural consequence of their mutual suspicion and antagonism.

Huerta himself was without principle or plan except that of keeping himself in office. He intimidated Congress by throwing more than one hundred of its members in prison. As long as he controlled the capital and major cities and had a well supplied army, he was not seriously disturbed by Carranza's pronouncements, Zapata's hostility, or Villa's return to Mexico.

Woodrow Wilson's antagonism proved an unexpected blow to Huerta's control. The recall of Ambassador Henry Lane Wilson under a cloud of disapproval was a virtual break in diplomatic relations. Withholding recognition was then a new element in United States foreign policy, the previous practice having been to recognize *de facto* governments. The situation seemed unimportant to Huerta, but it strengthened his opponents' position.

Carranza's fortunes in the east declined to such an extent during 1913 that in September he moved from Coahuila to Sonora in the northwest. Meantime Villa expanded his control in his native state of Chihuahua through important victories at Ciudad Juárez in October, Chihuahua City in December, and Ojinaga, Chihuahua, across the Rio Grande from Presidio, Texas, in January, 1914.

In an effort to maintain his authority and prevent Villa from exploiting those victories to increase his power, Carranza returned east in February. At their meeting, Villa greeted Carranza as "my chief," but the strain in their relations was evident. Villa, however, was taken up with the exciting prospect of a campaign against Torreón, important rail center then in the hands of *huertistas*. The campaign culminated in April with victories at Torreón and nearby Pedro de Colonias in which Villa's forces broke up two large federal armies and gained key military objectives. His fame and self-confidence grew.

During this period Pablo González and other Constitutionalist (*carrancista*) generals were operating in the northeast. In the course of the attack on Tampico, which fell to Carranza's brother on May 14, occurred the untoward incident of the arrest by Mexican authorities of several United States sailors. Occupation of Veracruz by the United States, November, 1914, followed Huerta's refusal to make an apology and to give a twenty-one-gun salute to the United States flag. Ultimate consequences of the events were beneficial to Carranza. Huerta lost an important source of income from the customs duties of Veracruz as well as a means of importing arms. In November, when Carranza found it expedient to meet conditions required by the United States for its withdrawal, he occupied the city, and made it his capital until his return to Mexico City in the fall of 1915.

After the capture of Torreón, Saltillo was the major city in the north remaining in federal hands. Carranza insisted that Villa, then planning to move south against Zacatecas, should attack Saltillo instead. Carranza hoped to restrain Villa in order to enable General Álvaro Obregón, operating in the west, to be the first to reach the capital of the Republic. Villa finally deferred to the First Chief's insistence and successfully invested Saltillo, May 21, 1914. (The action in *Las tribulaciones* begins in the period when these events were taking place.)

The Constitutionalist forces were encountering difficulties in their attack on Zacatecas, and Carranza ordered Villa to send 5,000 men to aid them—an order designed to split Villa's forces. At first, Villa vacillated, but finally, without notice to Carranza, left with his entire Division of the North for Zacatecas, June 17. His forces ensured the victory; Zacatecas fell June 24, after savage and bloody fighting.

The victory failed to placate Carranza; he remained determined to forestall Villa's entry into Mexico City. Before making his way to the capital, Villa had to return to Torreón for new recruits and supplies. Carranza controlled the coal mines of the north and was able to check Villa for a while by withholding needed fuel for locomotives.

In the south, in what amounted to a separate revolutionary movement, Zapata had extended his control far beyond the small state of Morelos and threatened the environs of the capital itself. By July, Huerta's position had become so precarious that he resigned on the fifteenth, turned the government over to Francisco S. Carbajal, Chief of the Supreme Court, and fled the country. A struggle for power among the revolutionary leaders ensued. Villa began to move south with his forces which he called the Army of the North. Obregón, however, had at last overcome the obstacles that had held him up and won the "race for the capital." When he entered it on August 14, he proclaimed Carranza First Chief of the Nation and placed the city under martial law. Carranza entered the city a few days later with little fanfare.

To provide some degree of order and to restrain the *zapatistas* (followers of Zapata), Obregón agreed to retain the city police: this action contributed to the antagonism developed toward Carranza's government. The unhappy city suffered extensively nevertheless from the disruption of civil functions and from revolutionaries who sought material reward for their successes. The generals and leaders took over for their own use the elegant houses of the rich in the most fashionable sections of the city while the soldiers seized booty where they could. The fears and terrors of the people are reflected in Azuela's account of the experiences and reaction of the family in *Las tribulaciones* to the incursion of the *carrancistas*.

Carranza faced serious problems in consolidating his power. Overtures to a suspicious and resentful Zapata failed when the latter demanded explicit and complete compliance with his "Plan of Ayala." The long-smoldering antagonism between Carranza and Villa became an open rupture by the end of September. In the meantime, Villa was busily engaged in strengthening and supplying his forces. He seemed pleased with the prospect of fighting Carranza.

In an effort to heal the breach and maintain the peace, Obregón met with representatives of the Army of the North; it was agreed to hold a convention on October 10 in the "neutral" city of Aguascalientes. There was to be a delegate for each 1000 men in the ranks of each commander before the battle of Zacatecas; representatives of *zapatistas* were also invited.

Carranza showed little interest, failing to attend the convention or to send a personal representative. Its wholly military character was contrary to his conviction for the necessity to set up an essentially civilian government. However, among the delegates in attendance, *carrancistas* were in the majority. Intricate maneuvers and extensive, sometimes violent, debate led eventually to a stalemate. Obregón, taking the initiative in calling for a recess, persuaded the dissident groups to accept Eulalio Gutiérrez, who had fought in the Constitutionalist armies, as provisional president.

Even before the Convention recessed, Villa moved into the state of Aguascalientes. It became evident that the effort to make peace among the factions had failed, though Gutiérrez continued to try to find some solution to the impasse among the leaders. The menace of Villa and the weakness of his own position in the capital led Carranza to leave the city on December 1. His officials and forces followed him to Veracruz in the next few weeks. The agreements leading to the withdrawal of United States forces in November made it possible for him to occupy the city, valuable for connections with the outside world and for income from customs duties. Carranza gained another advantage in Obregón's decision to support him, thus providing the military leadership which brought about eventual victory.

Faced with complex problems and the prospect of the renewal of fighting, Gutiérrez named Villa commander of the Convention's forces. After Carranza's flight, he moved to the capital and attempted to create a government.

The inhabitants of the city faced additional and prolonged hardships during the factional struggle with first one group and then the other in control. *Zapatistas* began to enter the city in November, 1914, an infiltration rather than an occupation in force. At first, their officers were able to limit looting and lawlessness. Villa, moving closer from the north, was careful not to antagonize Zapata, and announced his decision to enter the city only in conjunction with Zapata. That leader, wary and suspicious, would meet Villa only on his own ground. At Xochimilco they agreed to a joint review of troops in Mexico City, on December 6.

During the next five months one group of troops after another occupied the capital while the condition of its people became ever more wretched. Despite Gutiérrez's efforts to get Villa to restrain his men, robbery, rape, murder, and assault were common. Villa on one occasion had explained that his men should have some fun before bullets stopped them cold. Villa, primarily interested in his own country and little concerned with Zapata's program, soon turned to the task of trying to subdue remnants of Constitutionalist forces in the north.

Supplies of food, fuel, and clothing became scarce as military leaders seized what they wished and used the railroad facilities for military purposes with no care for the needs of civilians. The currency situation was a major source of trouble. Hard money generally disappeared from circulation. As each group became master of the capital, it repudiated the paper money of its rivals, and attempted to enforce acceptance of its own.

With his authority defied by the military and his position in the capital increasingly critical, Gutiérrez followed a devious course in trying to find a peaceful solution to Mexico's situation. Failing in his efforts, he left the city to try without success to establish the Convention's government in the north. The Convention's president, Roque González Garza, who had fought under Villa, took over the government in that body's name.

Carranza saw his opportunity in the weakness and divisiveness of the Convention's government and ordered Obregón to occupy the capital. News of his approach was sufficient to cause *zapatistas* to leave the city for their strongholds in the state of Morelos. The Convention followed them and established itself unhappily in Cuernavaca, capital of that state, where it was virtually cut off from Villa.

Obregón's forces entered Mexico City, January 28, 1915, where they remained until March 11, punishing and humiliating its citizens on the charge of their hostility to the Constitutionalists. During that occupation, the people suffered their most trying times. New difficulties arose in connection with currency repudiation and confiscation. Food became increasingly scarce and prices rose precipitously. Probably the most dramatic aspect of the situation was the water shortage deliberately created by Zapata's forces who controlled the city's waterworks at Xochimilco.

On the grounds that the city lacked strategic importance, Obregón announced early in March his intention of withdrawing. A basic consideration for the withdrawal was the need to consolidate Constitutionalist forces for dealing with Villa. Following Obregón's removal March 11, Zapata's forces returned to the city to remain until their final defeat, July 30–31, 1915. The Convention returned too, and, in the face of the incredibly difficult task of maintaining a government, formulated a program of economic and social reform which became one of the bases of the Constitution of 1917, still in effect today. In order to secure needed support, Carranza felt constrained to take action with respect to reform. In spite of his slight zeal for reform he issued decrees in 1915 in the interest of laborers and the landless. They had the desired effect and at the same time further committed the Revolution to the cause of reform.

In the course of the winter, the fundamental lack of a community of interest between Villa and Zapata became increasingly clear. Communications were difficult, each centered his efforts on his own region, and problems of finance and supply provided occasions for antagonisms and resentments.

Late in March, Obregón began to move his forces into the region between Villa and the capital city. His occupation of the key point of Celaya made Villa decide to attack him there. A three-day battle ensued in which Villa spent his forces recklessly, suffering appalling losses in attacks against Obregón's superior positions and weapons. The battle proved to be the military turning point of the Revolution. Subsequent defeats drove Villa back into the heart of his own state where he remained a troublemaker for Mexico and the United States until his death in 1923.

The Constitutionalists did not contest control of the capital with the *zapatistas* until late summer when the city fell to the forces of General Pablo González at the end of July. The *zapatistas* retired to their own region in Morelos which they continued to control for several years. They lost their leader in 1919 when Zapata agreed to meet with representatives of Carranza. As he was approaching them, one of the group shot him.

Disorders and misfortunes accompanying the change in military control again beset the capital following González's victory. Within a few months Carranza consolidated his control, set up a government, and gained acceptance as provisional president by most of the country. He received diplomatic recognition as *de facto* president by five

Latin American countries and then by the United States on October 19, 1915. The chief accomplishment of his administration was the formulation of the Constitution of 1917.

Conditions in the country were deplorable and the government faced bewildering problems. The Revolution had, however, passed through its military phases. To many, the destruction, dislocation, and bloodshed seemed futile. The devastation wrought during those weary, stretched-out years obscured for them the promises and hopes that the Revolution held for the future.

MARIANO AZUELA, "EL NOVELISTA Y SU AMBIENTE"

Mariano Azuela stated bluntly that a biography should begin at the beginning.[6] He was born January 1, 1873, at Lagos de Moreno, Jalisco, Mexico, the son of Don Evaristo Azuela and Doña Paulina González. His father, one of twenty-eight children of a Spanish father and *mestiza* mother, was a small landholder who operated a modest farm about twenty kilometers from Lagos and a small store in town.

Hazy, confused memories of farm and store, of sights, sounds, and smells connected with them provided his earliest recollections. In accordance with the demands of provincial culture, the young Mariano learned to read, write, and count. Reading became a favorite pastime, and books his "sea of discovery." The forbidden books he hid among the boxes in his father's store, taking them out to read while his father enjoyed his afternoon siesta. His enjoyment was tinged by disillusionment, for he could not understand why such books as *The Count of Montecristo* were forbidden.

Azuela passed some of his happiest hours listening to his grandfather, Don José María González, famous for his facility and cleverness in telling tales. Don José nourished his grandson's youthful imagination with accounts of his adventures as a trader traveling with a herd of mules along distant trails and staying in remote inns without, he related, "suffering damage from the rough smugglers of the brush country."

Occurrences of Azuela's youth opened his eyes to the hard conditions of life about him. One instance was the execution of Don Pepe, "one of those good men one might meet anywhere," for having

[6] *Obras Completas*, III, 1179. Azuela's writings, especially the essays entitled *El novelista y su ambiente* are the principal sources for this resume. All quotations are from his works unless noted.

killed another man to whom he owed a debt he could not pay. The affair, particularly the circumstances of the night before the execution and the sound of the shots at dawn, aroused in Azuela such sensations of distress and dismay that he was physically ill. Another dramatic recollection grew out of a demand made of his father for 500 *pesos* by one of the bold bandits who threatened the peace and security of the region. A brave employee offered to meet the bandit at the appointed time and, instead of paying him struck him on the head. The ridicule suffered by the bandit for his cowardice led Azuela to conclude that a valiant death would have been preferable.

Formal education for young Mariano began at Padre Guerra's school in Lagos which he attended for four years. He thought it remarkable that after failing philosophy one year he made good marks in it the next year without knowing any more philosophy! Various excursions and escapades with three special companions marked those lighthearted years. During that period he came under the influence of Padre Don Augustín Rivera, intellectual and scholar of Lagos, whose niece he later married and whose biography he later wrote.

Azuela's family sent him to Guadalajara, capital of the State of Jalisco, to pursue his education, first for a year at the seminary and then at the *Liceo de Varones* where he completed his preparatory education. He entered the Medical School of the University in 1892, and received his medical degree August 18, 1899. Azuela stated that he was not conscious of a clear reason for his choice of a career, but had known from the time he had seen "the light of reason" that he would study medicine.

New worlds of experience and knowledge opened up to the young medical student entering into the life of Guadalajara. He read widely, particularly French literature, and attended the theater on Sunday afternoons whenever he could. Afterwards Azuela concluded that his first literary effort was a long letter to his family in which he "embellished with some promptings of the imagination" an account of the assassination of the governor of the state. His first published works were products of his student days, *Impresiones de un estudiante,* appearing in periodicals under the pseudonym "Beleño."

Azuela was becoming conscious of the basic principles that guided his career, particularly concern for the truth. He wrote an uncle that from depression and laziness he had neglected his duties to the point of questioning whether he should continue his career. "If the excuse seems worse than the fault, nevertheless it has the merit of being the truth," he wrote, adding, "for my part I prefer the truth above everything else."[7]

On returning to Lagos to take up his medical practice, Don Mariano found that his twelve-year absence, interrupted only by vacations usually spent at the farm, had changed his relationships with those whom he thought he had known well. This did not apply, however, to one person—his childhood sweetheart, Carmen Rivera, whom he married on September 14, 1900, the year after his return from medical school. Doña Carmen and nine of their ten children survive. None of the children chose their father's profession, but several have distinguished themselves as teachers, lawyers, and government officials.

In Lagos, Azuela pursued his medical career modestly and quietly until the shock waves of the Revolution reached him. They were difficult years, but he slowly built up a practice and a reputation for integrity and high principles. He maintained his interest in writing and participated in an organization which met regularly to discuss the literary efforts of its members. He read to the group portions of his first novel, *María Luisa,* written in 1898 but not published until 1907. The pitiful story of the degradation of a young girl grew out of an incident he had witnessed as an intern: on his rounds through the hospital a doctor pronounced a patient dead without recognizing the physically wrecked young woman as one he had loved and discarded. The novel illustrates two recurrent themes in Azuela's writing: concern for the lowly and the influence of his medical career.

Azuela considered his second novel, *Los fracasados,* in many ways a form of reporting. His habitual practice of collecting newspaper clippings and of jotting down notes about conversations and his observations of men and scenes often provided material for his narratives. In *Los fracasados* he wished to show the ruthless drive of the middle class to enrich itself without regard for morality or suffering of the poor and in the process to reveal the disillusionment of an idealist in the midst of a social crisis in a provincial town. Composition of this novel ended its author's indecisiveness about his vocation as a writer.

Like its predecessor, *Mala yerba* is an implicit protest against the desperate sufferings of the humble; a muffled cry against oppression by the *caciques* (local bosses) and landowners. Its character as a

[7] Azuela to Don José María González, Guadalajara, June 8, 1898. *Azuela Papers* on loan to Beatrice Berler by Enrique Azuela.

powerful social document, especially in its portrayal of debt peonage and of Indians as essential elements in Mexican life, enhanced its value. Azuela was the only novelist of his time to raise a voice against the injustices of Porfirio Díaz's régime. Surprisingly, his implied but severe attack went unnoticed. Probably the explanation lies in his location in a provincial city, the preoccupation of the Mexican world of letters with European literary currents, and the general interest in the forthcoming celebration of Mexico's centenary of independence. His work had little critical notice and few readers.[8]

Azuela next wrote *Sin amor,* a portrayal of the decadent society of a provincial town in the Díaz era. To him it was less satisfactory than his works about the poor and disadvantaged, and out of harmony with his normal frankness and spontaneity. Perhaps his being a part of the middle class obscured his vision of it. Azuela stated that *Sin amor,* finished just as Madero's revolt began, was the last in his first cycle of novels.

Although Azuela lacked inclination or sympathy for militant political action, the movement against the senile Díaz regime caused, he recorded, "my heart to take precedence over my mind." He held that "in the turning points in the life of a people, the failure of an individual to act is not only cowardly but is criminal as well." Madero's revolt seemed "the light of hope" to him and to many who sacrificed life and property. Azuela and an intimate friend, secretary of the local government agency, turned the official offices into agencies of revolutionary propaganda. His friend lost his position and Azuela incurred the antagonism of the local *caciquismo.* From that time on to be a Madero supporter was equivalent to being a criminal.

In spite of danger, Azuela and like-minded associates formed the nucleus of a local movement directed against Díaz. They had the support of day laborers, small business men, farm workers, and enthusiastic youths. Similar developments were under way elsewhere. With the news of Madero's victory, many who had been opponents of his program thought it expedient to proclaim themselves its fervent partisans. Azuela felt a special repugnance for those *maderistas de ocasión* which he expressed forcefully in his next novel, *Andrés Pérez, maderista.*

In response to popular demand following Madero's triumph, Azuela became political chief of Lagos. Holding office did not accord with his temperament and ideas, but he felt it his duty to accept the

[8] Manuel Pedro González, *Trayectoria de la novela en México* (Mexico City, 1951), 127–134 *passim.*

position, especially when the *caciques* "protested to high heaven." The governor had confirmed his selection, but local bosses in their newly assumed roles as *maderistas* sought to prevent his taking office. Azuela had to call on federal soldiers at the city garrison to check those illegally opposing him.

The Madero movement was nearly a fiasco. Soon intrigue and factionalism began to undermine the movement, and the situation in his state was such that Azuela resigned his post with a vigorous protest against continuing in office by official mandate when his choice had originally been the expression of the will of the people.

Deciding to retire to private life and to his medical practice, he intended to devote his spare hours to writing a series to be called *Cuadros y escenas de la revolución*. This title, however, he could not use for political and editorial reasons. He was no longer an impartial observer but, as a witness and participant, he became "a passionate narrator, devoted to a cause."

Andrés Pérez, maderista reflects the spiritual struggle which led him to a decision, freely taken, to support "the great movement of renovation." He presented an aspect of Madero's downfall showing that it occurred because his régime "did not have time to mature in the conscience of the people." Azuela thought that Madero's government, most honest and upright in Mexico's history, was ineffective through inexperience and naiveté in dealing with the "wolves of *porfirismo*."

Azuela put all his disenchantment into this novel, with its theme of the audacity and cynicism of the enemies of the regime in the very process of destroying it. The work initiated his series of novels written during and about the Revolution; this body of his writings is of the greatest literary significance in its originality of content and technique.[9]

The course of events enabled him to see as never before the degree and extent of *caciquismo*. "A shadow of misery" spread over the country with Madero's supporters victims of brutal and vengeful deeds. Fearful members of the middle class deserted the Revolution and made common cause with the "arrogant *caciquismo*." The governor of Jalisco, a true gentleman in Azuela's judgment, though he supported the usurper Huerta, was able to mitigate somewhat the excesses of the central government. Azuela himself was able to save several supporters of Madero from falling into the hands of Huerta's officials.

[9] *Ibid.*, 149.

In these circumstances, beset by uneasiness and anxiety, Azuela wrote *Los caciques,*[10] setting it down on small pieces of paper kept carefully hidden as a protection against a sudden search to which houses of the suspect were customarily subject. "I wrote with passion," he recalled, "but with a strict consideration for the truth." He directed his attack at the local despots who, through greed and selfishness, used their power to promote their own interests at the expense of the rest of society.

As Azuela was writing the last chapter, several detached groups of federal forces arrived in Lagos, bringing evidence of their defeat by Villa at Zacatecas (June, 1914). The news of the victory over Huerta released the tensions under which he had been living. The bloody, fratricidal struggle that would follow, and in which he became involved, was not then apparent. The stand Azuela took in favor of the Party of the Convention endangered him when a violent dispute which broke out between two local factions put him at the mercy of his enemies.

He soon became an active participant in the Revolution. When General Julián Medina of Villa's forces came through Lagos after attending the Convention of Aguascalientes (October, 1914), he invited Azuela to take part in forming a government for the State of Jalisco. At first Azuela demurred but finally agreed. Perhaps his desire to live among the revolutionaries who seemed to him "incomparable material for a novel" influenced his decision, although he had no idea then of the novel *Los de abajo,* which has become his most famous work. Late in October he joined Medina's forces at Irapuato as chief medical officer, in which capacity Azuela rendered the best service he could, while taking care to keep himself outside the quarrels and intrigues about him.

After Medina's forces moved to Guadalajara in December, the governor appointed Azuela Director of Public Instruction. He occupied the post only briefly, for soon the Carranza armies forced the *villistas* to evacuate Guadalajara. Azuela was carried along from defeat to defeat until "one fine day," he relates, "I found myself in the United States with a parcel of papers under my shirt. Two-thirds of *Los de abajo* was written, and I finished the rest of it in the print shop of *El Paso del Norte,* the newspaper in which my novel was being published serially."

[10] The novel, not published until after Azuela settled in Mexico City, brought him a payment of 50 *pesos* which enabled him to buy suitable clothes for taking up again the exercise of his profession. *Obras Completas*, III, 1076.

His experiences in that "tangle of crime, tears, blood, pain, and desolation" and his own sensitivity to them resulted in a novel in which the Revolution itself is the protagonist. Vivid and realistic, with flashes of poetic insight, the novel is the work of an observant man of acute sensibilities and a strong moralistic bent who had had rich opportunities to observe the Revolution at first hand. Episodic in form, the very structure of *Los de abajo* reflects the scenes and events it relates—chaotic, horrifying, violent, disjointed. The course of the narrative illustrates the futility of destruction and violence. Azuela's alter ego in the novel expounds its theme: "The revolution is a hurricane. The man who is swept up in it is no longer a man; he is a wretched dry leaf snatched away by the gale." The humble people caught up by the struggle felt only its force and expressed only its violence; they did not know its direction or purpose.

The confusion that occurred during the occupation of Ciudad Juárez by Carranza's forces early in 1916 enabled Azuela to escape from El Paso. After buying a railroad pass from a soldier, he managed the difficult journey home to Lagos. Events had imposed on him a double defeat—loss of ten years' savings and loss of illusions. Recognizing the imperative need of providing for his family and determined to retire from active politics, he went to Mexico City in March, 1916, to establish a practice there. His family followed in July. His good friend, the governor of Jalisco, offered him the post as Director of the Medical School at Guadalajara, but he declined the appointment, "preferring to live in the most humble poverty" rather than become involved again in a revolutionary government.

The hardships of the months with the *villistas* were less difficult to bear than the occurrences of everyday life in Mexico City during the Revolution. On the very day that his wife and eight children (the oldest of whom was twelve) arrived in the city, Carranza's government again repudiated the paper money in circulation and "cast into indigency those who managed to have some bills on hand." The circumstances underscored "the importance of a strong character as a treasure in time of crisis for which there is no substitute." Being young, optimistic, and in good health, Azuela resolved that the severe blow would not defeat him.

During the following months "*carrancismo* carried people to the extremes of misery." "Rapacious politicians and corrupt men of the military forces" found numerous ways to enrich themselves. "They came like rats in the night," in Azuela's words, "only to be transmuted by the next day into owners of automobiles, proprietors of sumptuous residences, shareholders in the most prosperous businesses; all of it the fruit of the misery and hunger of the laboring class." How strange it seemed to him that for having taken notice of these matters he was afterwards "branded with the iron of 'reactionary'!" He noted that he had been accused of not understanding the Revolution; of being "able to see only the trees and not the woods. The fact is," he continued, "I could not glorify rascals nor ennoble rascality. I envy and admire those who can see the woods and not the trees, for such vision is advantageously economical."

Three short novels published in one volume, *Las moscas, Domitilio quiere ser diputado,* and *De cómo lloró Juan Pablo,* and a longer work, *Las tribulaciones de una familia decente,* were written in the early months in Mexico City when his beginning practice left him long hours to write. He had a wealth of material on which to draw. One of the "most picturesque and sadly mocking" situations he observed was the shifts in fortune of rival factions as one, and then the other, acquired or lost power. *Las moscas* captures "the hour of fear" following Villa's defeat at Celaya (April 15, 1915) when the hordes of bureaucrats and their families, dispossessed by that event, follow in disorderly fashion after the military forces on whom their positions depend. On rereading the book years later, Azuela concluded that he had been overly cruel to them. They, too, were victims.

The extraordinary facility with which those previously adjudged enemies of the Revolution found places in it when it suited their personal interests to do so suggested to its author the theme of *Domitilio quiere ser diputado.* Their effrontery and lack of shame seemed to Azuela only a prelude to the fact that when the government became more stable, many were able to use it as a means of enriching themselves.

De cómo al fin lloró Juan Pablo, the third work in the volume, was based on a historical event, the execution by *carrancistas* of a revolutionary leader unjustly accused of treason. "It would be stupid of me to deny," Azuela has stated, "that in those three brief works I put all my passion, bitterness, and resentment at defeat and ruin. Not only did my difficult economic situation torment me, but so did the total defeat of my quixoticism. The exploitation of the humble class immediately proceeded just as before; only those in power had changed."

By that time his experiences in the publication of his works had made him somewhat bitter. An unknown author's difficulties, Azuela found, begin when he finishes his work and seeks to publish it. With publication finally achieved, the author faces indifference and coldness from the critics who, if they notice the work at all, dismiss it with a line or two of *pro forma* comment. Writing had long been Azuela's means of satisfactorily passing his leisure time, for he had little interest in the social activities of a provincial town. In Mexico City, however, exigencies of his situation led him to seek a monetary return for his writing, but with little result.

Azuela continued with the novel he had under way, *Las tribulaciones de una familia decente,* "forgetting temporarily the future of my book," he reported, "and giving in to my inclination to fill my free hours with writing. Nothing makes hard times more tolerable than a good dream and writing is a form of dreaming." On completing the novel, he sent it to a friend in Tampico, a newspaper publisher who had reprinted *Los de abajo.* Two years passed without word of his manuscript. In the meantime his practice had grown and his financial situation greatly improved. Then one day he received a large package containing 500 copies of the book which had been published serially in *El Mundo.*[11] Although he attached no importance to the matter, it confirmed his conviction that in Mexico only in the most exceptional cases could one earn a living by writing. In a later edition, however, *Las tribulaciones* sold better than any of his other works except *Los de abajo* and *Mala yerba.*

Las tribulaciones completed the cycle of novels about the Revolution. For a while Azuela turned aside from literary pursuits, and from 1916 to 1922 wrote only a few short stories. Confining himself principally to practicing medicine he found the service he had assumed with the city's court system interfering with his practice. To release himself of the pressure of that office, he accepted in its place a position as consultant of the *Beneficiencia Pública* (today Social Security), a post he occupied for more than twenty years.

Although Azuela had little personal ambition and had found satisfaction in his literary activities, he had become "tired of anonymity; . . . tired of being an author known only in my own house." In 1921 or 1922, as he recalled, he decided to cultivate the currently popular style labeled *"estredentismo"* which he began to study assiduously. The technique appeared to him to consist of "the trick of twisting words and phrases to make concepts and expressions obscure in order to achieve novelty."

[11] *Ibid.*, 1098. This account indicates that he wrote the novel in 1916, not in 1918, as is usually assumed.

In Azuela's opinion he did not go to extremes in the application of the technique, but he did abandon his customary method of expressing himself "with clarity and concision." He produced in the next several years three works in the new manner, *La malhora, El desquite,* and *La luciérnaga.* These works about underworld characters and the unfortunate are characterized by presenting action indirectly through the psychological reactions of the characters, concern with the subconscious and the torments of persons bordering on the abnormal, and by preoccupation with form.[12]

Azuela indicated that he could point out various obscurities and puzzles in these works but would instead "leave that pleasure to my enemies when these foolish mannerisms have passed out of style." The first novel was well received abroad but was not noticed in Mexico. The second, for which he received fifty *pesos* for the author's rights, had no success at home or abroad. The third, however, although it was "a resounding financial failure," received favorable acclaim from critics and some rank it second only to *Los de abajo* in merit.[13]

After writing *La luciérnaga,* Azuela felt a sense of shame for having indulged in artificialities of expression contrary to the mode which was more fitting and honorable for him. The failure of *La malhora* to gain critical attention led him, after much travail of spirit, to decide to give up writing. After burning his unpublished manuscripts, he devoted himself to the study of the ancient Greeks.

Azuela soon recovered his mental balance after what he later described as a period of self-deception. Some brief published notices about his works revealed to him the futility of the course he had taken. A journalist and critic, Gregorio Ortega, who had come to know Azuela's work, mentioned them in the press on several occasions. The incident, however, that revitalized Azuela was the publication in 1924 of a literary interview with the poet Rafael López who observed that " '*Los de abajo* is the best work in the field of fiction published in Mexico in the last ten years.' "[14] Thus encouraged, Azuela returned to writing and continued to write the rest of his life.

Azuela's emergence from obscurity, however, was a consequence of a vigorous literary controversy that developed in the Mexican press

[12] González, *Trayectoria*, 168.
[13] Luis Leal, *Mariano Azuela, Vida y Obra* (Mexico City, 1961), 61.
[14] *Obras Completas*, III, 1174.

(1924–1925).[15] When Julio Jiménez Rueda charged that revolutionary Mexico had not found literary expression, Francisco Monterde, critic and author who, as early as 1920, had expressed critical approval of Azuela's works, answered the charge. In his opinion, " 'he who wished a faithful reflection of the holocaust of our recent revolutionary struggles needs to pay attention to Mariano Azuela who is among the novelists worthy of being known.' "[16] The "conspiracy of silence" which had been until then Azuela's portion is all the more difficult to understand in the judgment of a foremost scholar of his works, for "no Mexican novelist in a century had written works of such penetrating observation and such profound realism."[17]

Several months of controversy brought Azuela to public attention. New editions of some of his books appeared at home and abroad. The modest, unassuming doctor who had given up hope of recognition for his works of native inspiration thus achieved fame after he was fifty years old. His recognition has been principally in connection with *Los de abajo,* but the recent publication of his complete works makes possible a new evaluation of his contribution to Mexican letters.

The significant outcome of the controversy and of the new interest in Azuela's work was a voluminous body of literature on the Revolution. Men of letters who had served in the revolutionary armies began to write novels based on their experiences. Many generals and lesser officials published memoirs. Some who had been eyewitnesses to events of the Revolution made their experiences the subject matter of narratives.[18] Use of the Revolution as a source for literary endeavors became a vogue. The influence of Azuela, the initiator, appears in the episodic form, the use of people *en masse* as protagonists, in autobiographical narrative, concern with social problems and with the humble, and economy of expression.

Some critics have taken the position that Azuela was not truly the novelist of the Revolution, for he did not present or even concern himself with a systematized ideology of the movement.[19] That is a

[15] John E. Engelkirk, "The 'Discovery' of *Los de abajo*," *Hispania*, XIII (Stanford, Calif., January 1935), 57.

[16] *Obras Completas*, III, 1174.

[17] González, *Trayectoria*, 166.

[18] See Beatrice Berler, "The Mexican Revolution as Reflected in the Mexican Novel," *Hispania*, XLVII (March 1964), 46.

[19] John S. Brushwood and José Rojas Garcidueñas, *Breve historia de la novela mexicana* (Mexico City, 1959), 97.

limited view of Azuela's works which does not take into account his realism. Without attempting to promote any political purpose, he wrote about the horror and brutality he saw and about blindness of purpose, not in condemnation, but "out of a valiant and unquenchable loyalty to the truth." Although the charge that he was an anti-revolutionary is baseless, he was no blind partisan.[20]

His improved financial situation enabled Azuela to move his family from the "big, old, pretentious house, cold and gloomy," in Santiago Tlaltelolco to one he purchased in the Santa María de Rivera district on the avenue now named for him. He lived there the rest of his life, and his widow and youngest son still occupy it.

Azuela became interested in the 1930's in what he called the *biografía novelada* at a time when circumstances deflected him for about ten years from writing novels. In accordance with his custom, he had collected and classified materials about developments during President Plutarco Calles' era. Though he had often before written of brutality, cruelty, and death, he found himself frustrated, even after repeated effort, in trying to record "with fidelity a picture of those nightmare years." He put his papers away in the late 1920's not to take them out again until near the end of the next decade when he used the material for his novel *El camarada Pantoja,* a bitter indictment of the Calles regime.

First of the biographical studies produced in the interval, *Pedro Moreno, insurgente,* concerns a hero of Jalisco during the Wars of Independence. Finding something wanting he could not obtain from books or papers, Azuela visited the scene of Moreno's greatest exploits "to see, to smell, to hear, to capture with the senses the very land" where the events took place. He was then able to complete the work in which the only fictional elements are passages interpolated, he said, to retain the reader's interest but do not concern persons or events. He dedicated the work to Padre Don Augustín Rivera who had inspired him and had given him much of his material about Moreno. Padre Rivera himself was the subject of a biographical study in which Azuela stated that he had included no elements of fiction.

A biographical sketch of Madero in the form of a cinema script was published after Azuela's death. *Precursores,* another biographical work with fictional elements, also contains implied criticism of

[20] Angélica Malagamba Uriarte, *La novela de Mariano Azuela* (Mexico City, 1955), 116–122 *passim.*

his own age. It concerns the exploits of three Jalisco bandits of mid-nineteenth century, who had lived outside the law and paid the penalty for their deeds on the gallows. Bandits openly and without pretense, they were not like "the other sort who achieved a brilliant place in society and left their names inscribed on marble and bronze" who were to Azuela no better than vermin.

Beginning with the publication of *El camarada Pantoja* in 1937, Azuela returned to fiction with a series of novels, two published after his death, in which he satirized the contemporary scene as a means of denouncing the injustices of those in power. Azuela stated on writing *Avanzada* that with it he probably would close his cycle of novels written principally as a form of reporting about the Revolution.[21] Like others in the last series, however, it deals with the current scene, not the era of military struggle. Its publication brought him the prize for literature for 1940 awarded by the *Ateneo Nacional de Ciencias y Artes de México.*

In the later works Azuela still used the device of placing the narrative in a historical setting. He emphasized the general post-Revolutionary scene rather than the impact of events on individuals. An increasing tendency toward didacticism, absent from his earlier works, characterized those of the last period.[22]

With advancing age Azuela began to limit his medical practice, confining it in 1943 to charity patients and ending it completely two years later. He returned occasionally for vacations to his native state.[23] In addition to novels, his writings included stories, commentaries on his own life and writings, and a series of literary essays consisting of lectures he delivered at the *Colegio Nacional* in 1943 and 1947. Entitled *Cien años de la novela mexicana,* it is a perceptive evaluation of those authors and writings he considers and an interesting explication of his own views and methods.

During the last dozen years of his life he was the recipient of various honors. One that he prized highly was his appointment by President Manuel Ávila Camacho as a founding member of the *Colegio Nacional.* In that year he became a corresponding member of the Hispanic Society of America. In 1942 he received an invitation to join the *Seminario de Cultura Mexicana* with a stipend from the government of 250 *pesos* monthly. He recorded dryly that he accepted

[21] Azuela to John E. Engelkirk, Mexico City, Nov. 26, 1939. *Azuela Papers.*
[22] González, *Trayectoria*, 178.
[23] Azuela to M. P. González, Mexico City, Sept. 17, 1948. *Azuela Papers.*

the post, for it enabled him to deliver himself of anything bad he wished to say about the government; moreover, it enabled him to pay the government the heavy taxes levied against his property with his stipend money.

Critics and intellectuals, nevertheless, continued to ignore him, and much of his work remained little known. His native modesty and the nature of his subject matter may have influenced their attitudes. He countered the charge that his criticisms of the government arose from a sense of resentment by disclaiming any personal animosity. He had long held government posts and had been offered others. He expressed himself as being grateful to the men in high places under whom he had served.

In his address given January 26, 1950, on receiving from President Miguel Alemán the nations highest award for literary distinction, the *Premio Nacional de Ciencias y Artes,* Azuela emphasized the fact that throughout his career he had been able to write freely, without being molested. "My standard," he said, "has been the truth; my truth, if you wish, but in every respect that which I have believed to be the truth." In criticizing the Revolution, he had been a self-critic, for he had been part of it. Had he written otherwise he would have betrayed himself. Many had not understood his attitude and had criticized him for it. "Fortunately," he declared, "those who have understood me are those who are most important to me—the authentic and honest revolutionaries."

Azuela's last years were quiet and happy. After 1949 he confined himself to writing his memoirs and attending to his correspondence. His last letter may have been one written February 16, 1952, to his friend Manuel Pedro González,[24] commenting on the notices in the Mexican press about González' *Trayectoria de la novela en México.*

In 1951 Azuela learned that he was suffering from a serious heart ailment, a fact he concealed from his family. He suffered a crisis February 23, 1952, and died March 1 without regaining consciousness. Friends and relatives paid homage at his home, and then his body was removed to the *Palacio de Bellas Artes* where the public paid tribute. President Alemán arranged for interment in the *Rotonda de Hombres Ilustres,* and men of eminence in the world of politics and letters delivered the funeral orations.[25]

[24] *Azuela Papers.*
[25] Leal, *Mariano Azuela*, 31.

THE NOVEL: ANALYSIS OF "LAS TRIBULACIONES DE UNA FAMILIA DECENTE"

Mariano Azuela closed the cycle of novels written during and about the Mexican Revolution with *Las tribulaciones de una familia decente*. In it he sought to depict the impact of that struggle on people of property and to show their varying responses to the moral and social issues involved. The novel, therefore, stands as a valuable social document as well as an imaginative work of considerable power. Its literary worth lies in the high degree of dramatic tension it achieves in depicting the conflict between obtuse and materialistic persons who seek selfish advantage in troubled times and sensitive individuals who find the inner strength to face disaster courageously. Azuela's warmth of spirit, affection for the simple life, and moral fervor are essential ingredients of this work.

An abundance of material was available to the author. Indeed, Azuela expressed surprise that few had made use of the uniquely rich material which the Revolution provided. His main difficulty lay in selecting a good theme from the wealth of possibilities. He searched for one that was "supremely human," one "in which the tragic and comic were integrated into a whole." In the circumstances of Victoriano Huerta's downfall and the accompanying economic and social disruption, Azuela found what he needed.

Followers of Huerta who had recently gone north "very haughty, proud, spouting boasts, satisfied and insolent," had begun to straggle back to the south after defeat by the *villistas,* "mute, crestfallen, and dispirited as whipped curs." The propertied class, fearing revenge at the hands of the oppressed poor, flocked in panic to the cities in their search for anonymity.

They regarded the crisis as temporary, hoping (in vain) that some leader would gain power and restore their property and privileges. Overwhelmed by the harsh and bitter realities of the ensuing years, many of them descended through successive stages of penury and hardship to utter want. Numerous members of the formerly privileged class failed to meet the test imposed by the Revolution, but some discovered in it their "realization as men," finding regeneration in undertaking simple tasks, and ultimately achieving respectable positions earned by their own efforts. Azuela saw them in striking contrast to the crowd of grasping self-seekers suddenly in possession of power and riches "whose faces revealed their insatiable voracity."

The grossest error of the revolutionaries, in Azuela's judgment, lay in their killing the best in themselves, forgetting their humble origins and the simple habits they had formed in poverty and even in misery, and then succumbing to the seductions of power and money. Azuela believed that pursuit of the simple life would cure the worst ills of the times without "blood or tears." Another of his conclusions was that, as long as anyone remained hungry, "he who wastes is a thief." Also, he observed that, though men had to face in those times the cruelty and destructiveness of suffering, in some there glimmered a spark of energy that could revivify them with unexpected force.

With these ideas in mind, Azuela started writing *Las tribulaciones*. Based on distressing events, it ends nevertheless "overflowing with hope and happiness," according to its author. The pessimism sometimes ascribed to the work lies in Azuela's implication that self-seeking men had perverted the hopes and aspirations raised by the Revolution. It was his view that he had honestly recorded the situation on which he founded his narrative. "If I put passion in the pages, I included no lie or unfounded judgment. . . . Of all of which I may be accused, the least is in having deformed the truth." He pointed to the newspapers of the period as witnesses to his claim, noting that his brief novel presented that which could be obtained only "by submerging oneself in a sea of printed matter."

Directing his animosity against corrupt men rather than against the ideas of the Revolution, he proposed to give a faithful reflection of "the fortitude and bitterness of those days of trouble." In writing *Las tribulaciones,* Azuela aimed "to explore a theme as old as time and as inexhaustible: that pain and suffering are fruitful sources of noble deeds."[26]

Las tribulaciones particularly exemplifies the application of the specific literary methods Azuela set down for himself. In the selection of material he felt it necessary to confine himself largely to what he himself had seen and felt. In his opinion, moreover, the novelist should place primary emphasis on the scenes in which the events take place and on the persons to whom he gives life. He deliberately makes extensive use of dialogue to convey his point of view, for "propagandizing in a novel is an error." Major elements of his tech-

[26] The foregoing is based principally on *Obras Completas*, III, 1094–1098, and it is drawn in part from the introduction to Mariano Azuela, *Two Novels of the Revolution: The Trials of a Respectable Family* and *The Underdogs*, translated by Frances Kellam Hendricks and Beatrice Berler (Principia Press of Trinity University, San Antonio, Texas, 1963), xxi–xxvi.

nique are simplicity (difficult to achieve, he said) and compression to the point of disconnectedness. He relies in part on the reader's imagination to supply the links, and produces a vigorous narrative that is unadorned and direct.

Occasional brief descriptive passages, which are often vivid and poetic word pictures, provide the physical setting of the novel and reveal the author's intense interest in nature. His effective use of a historical setting makes it an unobtrusively essential element of the narrative. Highly nationalistic in flavor, the work presents realistically the "history of the feelings and thoughts of the people in the capital during the Revolution better than any documented history."[27]

With the sound and fury of the Revolution offstage, the focus of attention is on the characters who give the work its cohesion. The persons the author created to carry out the development of his ideas are the members of the Vásquez Prado family of Zacatecas, whose experiences are typical of the times. Azuela's technique of character delineation consisted of putting himself in the souls of his characters. He believed that the degree to which he was able to do so was a measure of his success as a novelist. Although in his numerous works Azuela created many deeply felt characters, they often remain at the end of the work relatively unchanged as persons. In *Las tribulaciones,* however, he achieves some of his most fully realized creations; individuals whose psychological development is clearly revealed in the process of narration.

Azuela's characters in *Las tribulaciones* are viable as human beings but serve also as types or symbols, even to the point of caricature, as in the case of César. The mother, sons, and son-in-law are the figures that Azuela has created for the purpose of excoriating those who are grasping and selfish, power hungry, and oblivious to the sufferings of others. Through the father, Procopio, and one of the daughters, Lulú, Azuela develops his theme of spiritual regeneration through suffering. Procopio, like the characters in other novels who similarly serve as Azuela's alter ego, is the idealist and intellectual who, though a victim of the evil about him, bravely confronts and comes to grips with his problems instead of succumbing to disillusionment.

The son-in-law Pascual, developed in some depth, epitomizes the author's scorn for the corrupt elements in Carranza's government

[27] F. Rand Morton, *Los novelistas de la revolución mexicana* (Mexico City, 1949), 52.

and for the men who robbed and killed like the bandits of old but who covered their rapacity and cruelty with the cloak of respectability. Azuela's indictment did not stem from a lack of patriotism, but rather from a deep love of country. It was his view that hope for betterment lay in facing the situation and recognizing its reality, not in ignoring it or glossing it over.

Plot and structure received less consideration from Azuela than setting and characterization. A flaw in the structure of *Las tribulaciones* is its curious break in unity: the opening part is written in the first person and the second part in the third person. Possibly the explanation is that Azuela started writing, as he often did, without having a previously formulated plan. He may have decided that having the weakling son carry the narrative did not suit the development of his theme. The fact that Procopio's character is only vaguely suggested in the first part is evidence of this problem. César's sudden death became necessary for widening the scope of the book and giving it greater emotional vigor through changing the narrative perspective.

A pervasive feature of Azuela's work is a use of satire that ranges from subtle to blunt, from gentle to caustic. He freely exercises this propensity in *Las tribulaciones* in depicting minor or unsympathetic characters. The character of Covarrubias allows Azuela to show contempt for those who have loyalty to no interests but their own. Natures and personalities of minor characters are sometimes revealed in a succinct and humorous manner through their names, as in the case of Aurora de Tabardillo. "Aurora," the dawn, suggests the word *amanecer,* a verb which in Mexico can refer to those who get up early to take advantage of others. "Tabardillo," a burning fever, signifies the intensity of her greed. Azuela points out in the novel that the fever to obtain riches was endemic.

Writing intentionally for the general public rather than for a select group, Azuela was more interested in what he had to say than in how he said it. He was aware, he wrote, that various errors had "slipped in." Even though the author occasionally disregarded niceties of grammar or usage, *Las tribulaciones* contains many clear and vigorous passages that reveal his talent for choosing the most explicit or graphic term for his purpose.

The author emphasizes the theme of his work through the repeated and ironic use of the word *decente* which appears in the title. Committed himself by intense conviction to all that is *decente* in its straightforward application, he emphasizes his aversion to the evils of hypocrisy and dishonesty by using the term in contexts that subtly reveal his point of view.

Without, however, any ironic implication, Azuela held that it was very *decente* to be a good writer, but for him the greater *decencia* was to be a just and honorable one, a view which required a writer to present his vision "with courage and sincerity." He infused *Las tribulaciones* with those qualities, and in the process achieved an originality of theme and technique rooted in the history and language of his native land that makes him truly Mexican yet at the same time a Mexican who writes for all mankind.

F. K. H.

Las tribulaciones de una familia decente

El libro de las horas amargas

I

Mi hermano Francisco José es poeta. ¿Quién como Francisco José para encargarse de *El libro de las horas amargas?*[1] Pero mamá dice que yo he de escribir esto.

Los Vázquez Prados, como todas las familias decentes, venimos a menos[2] desde la revolución maderista. Soy el pequeño de la familia y parece que estoy condenado a ser bebé por el resto de mis días. A los veinte[3] no me permite mamacita que salga a la calle si no es con ella misma o con una de mis hermanas.

Los Vázquez Prados tenemos en línea paterna a un constituyente del 57[4] y en línea materna a muchos ameritados militares, que figuran como estrellas de primera magnitud. Agustinita, mi mamá, dice eso y hace el elogio más cumplido de nuestros abuelos, mientras que Procopio, mi papá, observa, sonriendo con una sonrisa socarrona que tiene la fea propiedad de prender como dardo de alacrán, que, gracias a sus narices políticas, los generales Prados caían siempre parados.[5]

Pascual, esposo de mi hermana Berta, le ha dado en su ocasión, esta contundente respuesta: "Lo más sagrado que el hombre tiene en el mundo es la familia. Los generales Prados al afirmarse sistemáticamente en facciones contrarias durante nuestras luchas intestinas, han revelado talento y nobleza de corazón. ¡Honores, ambiciones, gloria, la vida misma, al servicio del más excelso ideal: la familia! Y la familia ¡claro! ganó siempre quienquiera que fuese el vencedor."

[1] **¿Quién . . . amargas?** Who but Francisco José should be entrusted with writing *The Book of Bitter Hours?*

[2] **venimos a menos** found ourselves in reduced circumstances.

[3] **A los veinte** Even though I am twenty years old.

[4] **un constituyente del 57** *One of the men who formulated and supported the National Constitution of 1857.*

[5] **caían siempre parados** always landed in the most favorable position (*politically*).

Archibaldo, novio de mi hermana Lulú, bergante sin oficio ni beneficio, observó que, en efecto, los generales Prados eran héroes prototipo del hogar y merecían los honores de un monumento.

Incuestionablemente nuestro abolengo no debería ponerse jamás en tela de juicio,[6] máxime cuando es la llave misma de la paz y equilibrio domésticos. Papá suele olvidarlo, y da lugar a escenas tan penosas como la que ocurrió pocos meses ha.[7] Breve tiempo teníamos de instalados en una vieja casona, enfrente del jardín de los Ángeles.[8] "Nuestro nuevo domicilio —decía Francisco José— nada tiene que envidiar al tugurio más miserable del más pobre de nuestros medieros."[9] En puridad de verdad[10] debo decir, sin embargo, que Agustinita, a la vista del corralito de la casa, ha encontrado pretexto para hacer gratas reminiscencias de Zacatecas.[11] Por lo que a mi respecta, un poco demasiado perezoso y otro poco demasiado ignorante en ciencias y artes, me satisfago con hacer correr el visillo de la sala y contemplar el cálido esmalte del jardín y la cúpula almagrada de la iglesia de los Ángeles que, sobre las altas cimas de los árboles, se recorta en el cielo azul. Cuando está azul. Porque en septiembre llueve desde el mediodía y, a menudo, el agua se asienta en una llovizna pertinaz. Bajo un cielo de plumbagina todo parece envuelto en un manto de ceniza. Sin embargo, estas mismas tardes tienen su soberbio cuarto de hora; cuando cerca de las seis el sol rasga con violencia las nubes de plomo, una ráfaga de lumbre se tiende en el horizonte, sirviendo de fondo luminoso a los trémulos arabescos de la Alameda,[12] y expira como escarcha de azogue en el empedrado y en las bancas verdinegras del jardín.[13]

Y bien, una vez a esa hora, agrupados tras los vidrios, mirando morir la tarde en la plazoleta desierta, acertaron a pasar dos grandes automóviles, apretados de carrancistas y mujeres de mal vivir, todos ebrios y haciendo escándalo. Papá, que había pasado la semana hundido en un desvencijado sillón de mimbre, la cabeza

[6] **no . . . juicio** should be held above criticism.
[7] **pocos meses ha** a few months ago (**ha** ***hace***).
[8] **jardín de los Ángeles** *A garden located in a poor section about two miles north of the main post office in Mexico City.*
[9] **"nada . . . medieros"** "can hold its own alongside the most miserable huts of the poorest of our tenant farmers."
[10] **En puridad de verdad** To be absolutely truthful.
[11] **Zacatecas** *The capital city of the state of the same name about 400 miles northwest of Mexico City.*
[12] **la Alameda** *A place with a garden and a promenade. There are many in Mexico.*
[13] **expira . . . jardín** expires like a hoarfrost of quicksilver on the cobblestones and on the benches of the garden.

entre las manos y sin despegar los labios, se animó de pronto y vino a la ventana:

—He allí a los fundadores de la aristocracia de mañana —pronunció desmayadamente.

Agustinita, del más negro humor del mundo porque se había vuelto a agotar el dinero,[14] se deshizo en improperios al gobierno.

—No hay que darle a esto más importancia de la que merece— interrumpióla Procopio, casi sin escucharla, siguiendo sólo el hilo de sus propios pensamientos. Desde la guerra de Independencia[15] hasta la fecha, gentes de esa calaña, asesinos y bandidos, han sido los cimientos de las sucesivas aristocracias del país.

—¡Procopio! . . . ¡Procopio! ¿Sabes lo que dices?

Procopio no contestó; hizo algo peor, sonrió.

Acerca de la sonrisa de Procopio están divididos los pareceres en casa. Lulú, mi hermana menor, aprueba con entusiasmo esta opinión que es la de su novio: "No hay risa que revele más inteligencia y corazón más noble que la risa de Procopio."

Pero Agustinita, Berta, Francisco José y mi cuñado Pascual lo entienden de otra manera. Francisco José, por ejemplo, dice: "Cuando yo río, cuando ríen ustedes, cuando todos reímos, para nadie es un enigma el motivo de nuestra alegría. La risa de papá es a menudo risa de uno solo, de dos a lo más."

"Lo peor de todo —comenta Pascual— es que eso acaba por distanciar las voluntades; afloja los sagrados vínculos de la familia, determina conflictos y provoca escenas desagradables."

Y bien, decía yo, Procopio no contestó, hizo algo peor: sonrió. Mamá, que no es fuerte en historia patria y de la universal pocas noticias tiene, dijo:

—Tu padre, Procopio, fue uno de los constituyentes del 57; los generales Prados dejaron en la historia de su patria una estela luminosa. . . . Ni aquél, ni éstos, supieron reír como tú ríes. No, no sabián reír así; pero sabían algo que a ti se te ha escapado en absoluto. . .

La voz de Agustinita, cada vez más ronca y apagada, se extinguió como un estertor. Mientras, una sombra oscureció el brillo peculiar de la mirada de Procopio y su sonrisa acabó petrificada.

—. . . supieron evitar siempre a sus hijos la vergüenza de habitar en una pocilga indecente y comer sólo habas cocidas. . .

[14] **se . . . dinero** the money had given out again.

[15] **la guerra de Independencia** *Struggles during the period 1810–1821, leading to the independence of Mexico.*

Procopio se puso muy pálido, se llevó una mano al pecho y entrecerró los ojos.

—¡Un vértigo! —nos explicó muy bajo Agustinita—; parece que le han hecho daño las habas.

II

Tres años hace ya que salimos de Zacatecas.[16]

¡Qué día aquél! Su solo recuerdo me atormenta. Mientras arreglábamos petacas y velices, riendo y bromeando con mentido regocijo, Procopio, contra su costumbre, iba y venía muy pensativo de un extremo al otro del corredor. Cuando se dio cuenta de que habíamos volteado la casa al revés, se acercó cariñosamente a Agustinita y le dijo:

—Lindita, acuérdate del adagio: "Vé despacio, que estoy de prisa."[17]

—¡Bah, dentro de unas dos semanas estaremos de regreso y ya tendré calma y tiempo sobrado para ponerlo todo en orden!

—Me temo que esas semanas sean tan largas como la de la creación del mundo.

¡Qué día! Al ponerse el sol esperábamos el último tren que a las siete de la noche habría de salir con las familias decentes que habíamos esperado hasta el último momento el triunfo de las fuerzas del gobierno.[18] El barullo de las gentes se había convertido en febril agitación. ¡Y qué miradas las de los hombres y sus bestias! Como preñadas de la tempestad que iba a desencadenarse[19] sobre mi desventurada tierruca, la tierruca de mi corazón.

Entre un grupo de oficiales vistosos y gallardamente montados apareció de pronto el general Medina Barrón[20] con su Estado Mayor. En cuanto él nos reconoció, vino a saludarnos con su habitual galantería. "¡Por fin se marchan ustedes!" Ni por broma intentó disuadirnos.[21] Sin embargo, cediendo a las insinuaciones de Agustinita,

[16] *The time indicated by Azuela does not correspond to the events encompassed in the first part of the book. Only two years intervened between Villa's threat to Zacatecas, spring 1914, when the book begins and Carranza's entry into the city in April of 1916, when the first part ends.*

[17] **Vé . . . prisa.** "Haste makes waste."

[18] **las fuerzas del gobierno** *that is, President Huerta's forces.*

[19] **Como . . . desencadenarse** It was as though a storm brewing in them was just about to be unleashed.

[20] ***Medina Barrón*** *One of Huerta's generals.*

[21] **Ni . . . disuadirnos** He did not try to dissuade us in the least.

convino en que, aparte de lo penoso que nos iba a resultar el viaje, antes de dos semanas tendría el gusto de vernos de regreso en casa.

—Lo que yo no me canso de decirles. ¿Lo oíste, Procopio?

Papá, mascullando la colilla de su puro,[22] ni siquiera alzó los ojos. Pascual, mi cuñado, asintió perfectamente convencido. Pero Archibaldo sonrió con sorna.

Sentimos, pues, como que nos quitaban toneladas de plomo de encima de nuestros pechos. ¿Quién como mamá en su férvida admiración por el señor presidente Huerta, la mano de hierro que justamente necesita el país? Desbordante de entusiasmo por los bravos y abnegados juanes[23] que heroicamente derramaban su sangre en defensa de los fueros de la alta sociedad, todas sus diatribas fueron siempre para las chusmas de Villa y de Carranza.[24]

Nunca dimos crédito a los decantados triunfos de los bandoleros; sugestionados poderosamente por la fe de Agustinita, nos habíamos mantenido firmes y resueltos a no abandonar a manos extrañas un palmo de nuestras propiedades. Pero todo cambió bruscamente. Agustinita exigió que Procopio fuera inmediatamente a pedir un tren especial al general Medina Barrón. Había ocurrido que el señor Moneda, consejero del Banco de Zacatecas, gran amigo de papá, fue a buscarlo con señales de gran agitación. Los dos señores se encerraron muy misteriosamente en el despacho de papá, y Agustinita, incapaz de soportar una curiosidad, voló a informarse con la señora Moneda. Y supo toda la verdad: el general Huerta iba a abandonar el poder; los miembros de su gabinete y las personalidades más conspicuas de su gobierno estaban ya saliendo rumbo a los puertos, prontos a dejar el territorio.[25] El triunfo de la revolución, indefectible.

—Pero entonces, ¿por qué ustedes no han salido de la ciudad? —repuso Agustinita con una pizca de duda.

—Nos retiramos a una hacienda inmediata. El cónsul americano nos ha ofrecido toda clase de garantías.

Y bien, a pesar de tan formidables golpes, la fe de mamá en el general Medina Barrón no se quebrantó y bastaron unos breves segundos de hablar con él para que renacieran todas sus esperanzas y energías.

[22] **mascullando . . . puro** chewing his cigar butt.
[23] **abnegados juanes** lowly privates; "G.I. Joes."
[24] **de Villa y de Carranza** *Revolutionary leaders opposing Huerta; later became antagonists.*
[25] *Huerta resigned July 15, 1914, and left the capital with his officials.*

III

A las siete nos acomodamos, como Dios nos dio a entender, en un carro de ganado. Como todo el mundo podía viajar sin boleto, tuvimos que ir revueltos con gente de baja ralea:[26] amontonados, con menos comodidades que las mismas reses en sus jaulas.

Transcurrió una hora; sentimos de vuelta la opresión en el pecho; mustios y silenciosos esperamos la señal de la partida. Procopio vino al fin, y nos dijo que la máquina resoplaba apenas y que no habían llegado ni el maquinista, ni el garrotero, ni el conductor. Entonces mamá nos agrupó a rezar el rosario. Desperté a las nueve, al formidable toque de silencio,[27] porque el rumor de los rezos es para mí el más poderoso hipnótico.

Como a la medianoche la máquina dio un ronco y trémulo gemido. El tren, por fin, se echó a rodar.

Nuestra máquina resultó una infeliz valetudinaria, reumática y enfisematosa,[28] que una hora caminaba y otra se detenía a "hacer vapor". Llegamos al mediodía a la estación de Aguascalientes.[29] No obstante que ya llenábamos el tren, allí ascendió una multitud mayor, que nos pisoteó y nos estrujó sin miramientos. Nos encontramos divididos: mamá y Berta en un extremo, Francisco José —la cabeza escondida en un blanco pañolón— anonadado en el opuesto; Archibaldo, Lulú y yo muy cerca de la puerta.

De pronto vimos aparecer a Procopio. Berta le preguntó con ansia por Pascual.

—No sé de él —repuso papá con indiferencia.

Yo vi dos lenguas de fuego tremar en los ojos de Agustinita. Un altercado entre ella y papá habría surgido de no aparecer en el instante mismo[30] el rostro eternamente sereno y amable de mi cuñado al lado del grave y desdeñoso de Procopio.

—Les traigo la nueva de que he conseguido un sitio en el cabús, donde todos podremos continuar el viaje ya juntos y con menos incomodidades —dijo Pascual antes de acallar los lamentos y las quejas de su Berta enamorada.

[26] **gente de baja ralea** people of low class.
[27] **al formidable . . . silencio** to the impressive sound of "taps."
[28] **Nuestra . . . enfisematosa** Our engine turned out to be old, rheumatic, and infirm.
[29] **Aguascalientes** *The capital of the state of the same name about 300 miles northwest of Mexico City.*
[30] **de no . . . mismo** if there had not appeared at that instant.

Saltamos del carro atropellando a todo mundo, como allí se nos había enseñado, y nos precipitamos por el andén hacia la cola del convoy. El cabús nos pareció un feérico palacio. Luego nos llevó leche y pan, y todos desayunamos con fervoroso apetito.

Cuando Procopio salió a pagar, su semblante súbitamente se demudó. Buscóse algo por todos los bolsillos, los volvió al revés. Sus ojos se dilataron en un gesto de estupor. Así permaneció sólo unos instantes. Pálido como la muerte, vino luego a mamá:

—Lindita, me han robado la cartera. . . Todos los valores en papel y el registro de la caja fuerte[31]. . . —exclamó con voz quebrantada.

Me sorprendió la serenidad de Agustinita.

—Conozco tus distracciones —dijo sonriendo levemente. Atrajo hacia sí con parsimonia una petaquita de piel de rusia que jamás abandona en sus viajes, y metiendo una llavecita en la cerradura, repitió:

—Conozco demasiado tus distracciones. Por evitar precisamente esto, que lo había previsto ya,[32] al cambiarte ropa extraje los valores de la cartera y. . . aquí. . . aquí. . .

Mamá vacilaba. Ahora era ella la que palidecía y abría los ojos, atónita. Su rostro se contrajo en un tic violento, las convulsiones comenzaron a sacudir sus miembros.

—¡El ataque! . . . ¡El ataque! . . .

Todos nos precipitamos en su ayuda.

¡Sí, Agustinita había olvidado la cartera, lo mismo que los valores que había extraído de ella,[33] en la mesa del comedor!

Después del ataque permaneció aletargada más de dos horas. Solícito como siempre, Pascual no se apartó un instante de su lado. Procopio de nuevo se ensimismó y, a distancia, fumaba, fumaba, encendiendo un cigarro con la colilla de otro. Pero cuando Agustinita se recobró, vino a ella, animoso y sereno, cual si nada de importancia hubiese ocurrido.

IV

Cerca de las cuatro de la tarde comenzó a blanquear vagamente en la inmensidad del valle verdinegro algo como una gran salpicadura gris, que poco a poco se fue aclarando a la oblicua luz del sol.

[31] **Todos . . . fuerte** All the valuable papers and the combination of the safe.
[32] **que . . . ya** which I had foreseen.
[33] **lo mismo . . . ella** as well as the valuables she had taken from it.

—¡México![34] —exclamó Archibaldo.

Yo, muy emocionado, ascendí a la ventanilla del cabús. El soberbio panorama de la capital iba ya surgiendo entre la bruma que flotaba sobre él y lo envolvía en inmenso festón de gasa tenue e impalpable. Agustinita estaba en obra de distribuir ordenadamente el equipaje, a efecto de que, sin precipitaciones, olvidos ni desbarajustes, descendiésemos en la estación.

—¡Mucho cuidado con los bolsillos! —nos advirtió Agustinita.

Yo me adelanté el primero a tomar un veliz; pero ella se opuso resueltamente:

—¡Tú no debes llevar nada, César! En México abundan los robachicos.

¡El contagio de la coquetería de estas cuarentonas metropolitanas![35] Ahora se le antojaba a nuestra vieja máquina darse aires de moza alegre. Cual si por milagro hubiese recobrado de pronto su agilidad y lozanía, se lanzó gritona y alborotada, a gran velocidad, a través de pobres y melancólicas callejuelas; luego se metió como la cabeza de una víbora por un portón de madera pintado de rojo, entre dos muros encalados; de allí salimos a perdernos en un océano de trenes. A cada cambio de vía, a cada crucero, el tren iba deteniéndose; ora avanzando por el angosto camino que otro dejaba libre, ora retrocediendo para dar paso a un convoy en opuesta dirección. Pasamos una hora pero de pronto, cuando menos lo esperábamos, entramos en los andenes de Buenavista.[36]

¡Qué algarabía y qué confusión! Una avalancha de cargadores, mecapaleros,[37] aurigas, choferes, agentes de transporte, de hoteles, en gritería de manicomio, arrebatándonos de las manos los equipajes y aturdiéndonos, a perder el sentido.[38]

—El hotel Unión, caballero —me dijo un señor bien vestido, impidiéndome formalmente avanzar, y tocando su pecho con el mío.

—¡Cuidado, joven! —me sopló otro detrás, haciéndome volver la cara—. No le conviene a una familia decente ir a esa casa. . . No se imagina siquiera adónde lo lleva.[39]

[34] **¡México!** *The capital city of the country is referred to in this manner in Mexico.*
[35] **¡El . . . metropolitanas!** Our old train became infected with the coquetry of those forty-year old flirts of the metropolis!
[36] **Buenavista** *A major railroad station of the capital.*
[37] **mecapaleros** *Burden bearers, usually Indians, who carry heavy loads on their backs in slings suspended from bands across their foreheads.*
[38] **a perder el sentido** to the point of almost driving us out of our senses.
[39] **No . . . lleva** You couldn't even imagine the kind of place he'd take you to.

Yo iba a presentar mis respetos y mis agradecimientos a tan inopinado amigo; pero me distrajo en aquel instante la atención; sentí que una mano se deslizaba suvamente en el bolsillo de mi chaleco. Intenté atraparla, pero en vano. Lulú y Bernabé me tenían cogido sólidamente de los brazos. Grité entonces con todas mis fuerzas:

—¡Que me roban mi reloj! . . .

—¡Un ratero. . . un ratero! —clamó Pascual.

Se hizo un tumulto. Allá en la puerta de salida, un gendarme acababa de hacer una aprehensión. Yo quise protestar. No podía ser tan apuesto caballero el que me había robado mi reloj. Sin embargo, me contuve, porque reconocí al señor decente que momentos antes me ofreciera el hotel Unión.

El gendarme pidió las señas del reloj, nuestros nombres y el del alojamiento que habríamos de tomar, y nos citó a la Comisaría.[40]

Ya estábamos a las puertas, cuando un empleado de muy corteses maneras nos detuvo. Había que registrar los equipajes.

—Es que nosotros somos partidarios del señor Huerta —protestó Francisco José con altivez.

El guarda hizo oídos de mercader[41] y metió sus manos en la petaca.

Archibaldo nos hizo notar que estábamos perdiendo el tiempo y *enseñando el pelo*[42] además. Con lo que hubo para que nadie pusiera más obstáculos.[43]

Respiramos hasta la hora y momento en que Procopio nos hizo subir en un enorme automóvil que partió a toda velocidad. Mamá le dio gracias al Señor de que hasta entonces nada grave nos hubiese ocurrido. Aparte de mi reloj, todos íbamos cabales.

Los vehículos se cruzaban en todas direcciones; tranvías eléctricos, automóviles como saetas, carruajes acompasados al tranco de corceles arrogantes.[44]

Hubo un instante en que embobecí del todo. El ruido de los trenes, el zumbar de los automóviles, los timbres y campanillazos, las roncas sirenas, los gritos de los voceadores de periódicos, todo acabó por hacerme perder la noción de mí mismo. ¿Quiénes son, pues, ahora

40 **Comisaría** *Precinct police station.*

41 **hizo oídos de mercader** listened with the ears of a merchant (*one who did not wish to hear*); *that is*, paid no attention.

42 **enseñando el pelo** making ourselves ridiculous.

43 **Con . . . obstáculos** Things being what they were; no one should raise any more objections.

44 **carruajes . . . arrogantes** carriages moving in rhythm with the long strides of proud horses.

—pensé— los Vázquez Prados de Zacatecas? ¿En dónde está la fina mano enguantada que se alza para saludarnos cariñosamente a nuestro paso? ¿En dónde una sola cabeza se descubre respetuosa o se inclina humildemente a nuestra vista? Rostros glaciales, desdeñosos, apáticos, insolentes. Nada. ¡La odiosísima metrópoli! Sí, aquí no somos ya más que una pequeñísima gota de agua perdida en la inmensidad de los océanos. . .

V

Nos alojamos en el Gillow.[45] Sólo Pascual se obstinó en hospedarse en el White House, a inmediaciones de una casa americana, donde dice que tiene asuntos de mucho interés. La verdad es que Pascual procura mantenerse a distancia de nosotros. Y puede ser que tenga razón. Es un caballero de educación tan exquisita y de tanta delicadeza, que se lastima fácilmente por cosas que a otros pasan inadvertidas.

Pascual se resiente de que lo mantenga siempre bajo cierta reserva fría y desconfiada, mientras que para este pepenacohetes de Archibaldo es todo cordialidad franca y ostensible. Pascual es miembro de la familia hace dos años apenas, es cierto; pero su conducta ha sido siempre la de un cumplido caballero. Berta lo adora; mamá se mira en él. Esa misma tarde de nuestra llegada a México pudo verse en el más crudo contraste[46] la conducta de mi cuñado y la de Archibaldo, aspirante a lo mismo. Mientras que Pascual supo arbitrarnos fondos para atender desde el primer momento nuestros fuertes desembolsos el otro desapareció como por escotillón, durante ocho días seguidos. Al decir de mamá, estas periódicas desapariciones dan la justa medida de lo que vale el hombre. Pero Lulú sigue en sus trece y *este macho es mi mula.*[47]

Y bien, lo que para nosotros es acto plausible, desinteresado y noble, en tratándose de Pascual es oficiosidad con *cola,*[48] a juicio de Procopio. Con tan vulgar expresión quiere decir que Pascual es hombre doble y de intenciones dolosas. No nos extrañó, por tanto, que en vez de mostrarse agradecido por sus servicios, suscitara una agria disputa a propósito de ciertos detalles. Parece que la persona

[45] **el Gillow** *A middle class hotel in downtown Mexico City.*
[46] **crudo contraste** direct contrast.
[47] **Pero . . . mula.** But Lulú had made her decision and was going to stick to it.
[48] **oficiosidad con *cola*** officiousness with a definite purpose in mind.

con quien Pascual nos consigió el dinero exigía que se estipulara claramente en el documento de préstamo, que se nos había entregado plata fuerte,[49] y Procopio se oponía porque eran puros billetes[50] los que nos dieron.

—Es una mera fórmula —observó Pascual, sorprendido—. ¿Cómo, en efecto, exigir el pago en plata, moneda que ha desaparecido de la circulación y nadie toma más en cuenta en las transacciones comerciales?

Agustinita hizo notar a Procopio la injusticia de su obstinación.

—Lindita —insistió todavía Procopio—, déjame en completa libertad para estos asuntos. Son cosas que tú no puedes comprender.

Procopio tomó la pluma y, firmando nerviosamente, murmuró:

—Conste que hago lo que tú quieres.

Procopio está lleno de extravagancias que explican muy bien su aversión por Pascual y sus preferencias para Archibaldo. Aunque de humilde cuna, Pascual ha logrado conquistarse una posición social muy envidiable. Dicen que cuando vino a Zacatecas, su bagaje se reducía a un título de abogado de Tlaxcala,[51] media docena de cuellos y un par de puños de celuloide; pero ni camisa ni calzoncillos. Y bien, esto le honra, porque sin más armas que su inteligencia logró abrirse de par en par los despachos de los banqueros y demás gentes de negocios, después los mismos salones de nuestra aristocracia. Posee prendas físicas, morales e intelectuales que cautivan. De regular estatura, arrogancia viril, su piel blanca tiene tersuras de muchacha de quince abriles, su frente es grande y despejada.[52] Su característica es la moderación. Sabiamente sabe colocarse siempre en un justo medio,[53] y así se gana la admiración y el aprecio de todos los que lo conocen. Y tanto los eclesiásticos como los seglares lo distinguen con su muy especial estimación.

He aquí, por otra parte, un bosquejo de Archibaldo. Pariente lejano, huérfano a los dieciocho, con doscientos mil pesos de capital, mucho dio que decir en Zacatecas en sus mocedades y aun parece que en esa época llegó a ser el *arbiter elegantiarum* de nuestra tierra. Y yo creo que es del *fue* de quien Lulú está enamorada. Un día

[49] **plata fuerte** silver coins *or* hard money.
[50] **puros billetes** only paper money.
[51] **Tlaxcala** *The capital of the state of the same name northeast of the Federal District. As there was no university there, Pascual had become a lawyer without formal training.*
[52] **su frente . . . despejada** his forehead is wide and high. (***Despejada*** *means that his hair had receded slightly.*)
[53] **en un justo medio** at the right place at the right time.

desapareció de Zacatecas y durante algún tiempo se supo que estaba en México despilfarrando los restos de su haber hereditario.[54] Después, ni quien supiera más de él. Bien enterrado lo teníamos, pues, cuando un día fue presentándose en nuestra casa. Con el polvo del camino todavía, las ropas viejas y desusadas, demacrado, encalvecido, una ruina del Archibaldo que cinco años antes fuera el pollo predilecto de las niñas casaderas de Zacatecas. Que había recorrido toda América como periodista, *sportman,* mozo de hotel, soldado, etc. En resumen, lo mismo había agotado su cuerpo y su alma en los goces de la carne y del espíritu, que en los dolores de la miseria y del vicio. Como es natural, se le recibió secamente y sólo con estricta urbanidad. Pero papá, ¡ese papá!, no sólo lo acogió con los brazos abiertos, sino que materialmente nos lo metió en casa, víctima de la más cálida y absurda simpatía. Se le dio una verdadera recepción. Se improvisó un sarao, vinieron jóvenes de nuestra mejor sociedad y hubo música, baile y sidra. Cuando se despidieron los últimos invitados, Archibaldo dijo solemnemente:

—¡Tío Procopio, ahora sé lo que es el calor del hogar! He dilapidado mi fortuna y mi propia vida. Caigo aquí sin saber por qué. . . Soy un inútil. Pero en esta hora inesperada, mi espíritu vislumbra derroteros imprevistos: le encuentro objeto a mi vida. Tío Procopio, en vez de pegarme un tiro[55] al salir de aquí, como se me había ocurrido, con el mayor respeto que esta casa me merece y con todas las formalidades en uso, pido a usted la mano de Lulú.

Procopio prorrumpió en una carcajada; los demás nos mantuvimos estupefactos ante la catástrofe. En el rostro de Agustinita pasó la gama desde el marfil viejo hasta el morado cárdeno. Lulú ardía. Procopio, el único a la altura de la inicua comedia,[56] tomó una mano de Lulú y con la otra sacó el revólver del bolsillo de Archibaldo.

—Querido sobrino: tus ideas me son igualmente simpáticas. Tanto que me siento imposibilitado para optar. Que Lulú decida.[57]

¿Quién podría imaginarse que esta odiosa farsa habría de ser el comienzo formal de unas relaciones que como la espada de Damocles[58] están suspendidas sobre el nombre y el honor de nuestra familia?

[54] **dispilfarrando . . . hereditario** squandering the last of his inheritance.
[55] **pegarme un tiro** shoot myself.
[56] **el único . . . comedia** the only one who kept his head in this wicked comedy.
[57] **Que Lulú decida.** That is for Lulú to decide.
[58] **Damocles** *A courtier whom the tyrant Dionysius of Syracuse seated at a banquet with a sword suspended over his head by a hair.*

VI

Al otro día de nuestro arribo a México, hubo una escaramuza entre Agustinita y Procopio. Mamá hacía calurosos elogios de Pascual, cuyo desprendimiento y expedición facilitaron y resolvieron nuestra delicada situación. Procopio, con palabras malignas y sonriendo maliciosamente, se aventuró a poner en tela de juicio las intenciones de mi cuñado.

—¿Por qué deja en blanco el sitio donde debe ponerse el nombre del acreedor?

—Bien sabes que Pascual es pobre y que no llegan a mil pesos sus fondos.

—Pues a mí no me parece improbable que él mismo sea el que nos preste ese dinero.

—Tanto más tendríamos que agradecerle.

—Si nos lo prestase en oro o plata.

—¡Qué cabeza tienes,[59] Procopio!

—Ojalá esté yo equivocado.

Procopio a diario preguntaba por Archibaldo; Lulú se había recluido en su alcoba. Pero los demás, si nos dimos cuenta de la ausencia del pariente, sólo fue porque respirábamos mejor.

Una semana dilató Archibaldo en volver. Venía enflaquecido, ajadas las ropas, crecida la barba, los ojos como lumbre. ¡Qué cinismo o qué valor de hombre!

—Le juro que será la última, tío Procopio —le dijo al oído.

Agustinita protestó a media voz,[60] condoliéndose de la "pobre mujer que se resolviera a ser esposa de tal perdulario."

¡Pobrecita de Lulú! Es tan buena,[61] que toda esa tarde lloró. Sin embargo, por la noche la encontré besándose con él, como si tal cosa.[62]

Trascurrieron dos semanas. Un día Archibaldo anunció:

—Están llegando los federales en desbandada. Han sufrido tremendas derrotas en Zacatecas y en Guadalajara.[63]

[59] **¡Qué cabeza tienes!** What notions you have!
[60] **a media voz** in a whisper.
[61] **Es tan buena** She is so loyal.
[62] **como si tal cosa** as if nothing had happened.
[63] *Huerta's forces were retreating. Zacatecas fell June 24, 1914, and Guadalajara, capital of Jalisco, July 8, 1914.*

—Lindita —observó Procopio, incorporándose con agitación—, debemos tomar una casa con las comodidades necesarias, como desde un principio te lo he dicho.

—Sí, mamacita, una casa —repitió Lulú.

Como si el hotel le viniese muy estrecho para charlar con el novio.

—Ni pensarlo —afirmó Agustinita—. La defección de algunos menguados federales nada significa.

Desgraciadamente las funestas previsiones de Archibaldo se realizaron. Una mañana vinieron Berta y Pascual con la novedad. Sólo por la traza en que llegaron, presumí la catástrofe.

Pascual nos mostró un número de *La Tribuna,*[64] noticiando la presencia de los constitucionalistas en las inmediaciones de la capital.[65]

—Todo eso nada tiene que ver conmigo —dijo Francisco José, acerado y bien aporreado por la jaqueca.

Agustinita enmudeció, hecha una mar de lágrimas. Pasó más de una hora para que pudiera expresar sus pensamientos.

—Procopio, es preciso que busques casa.

—Hace una semana que la tengo yo tomada[66] —respondió él con pasmosa tranquilidad.

VII

Me sorprendí de ver detenerse el auto al voltear de una calle y a papá descender prontamente y mostrarnos nuestra nueva casa. Abrimos una reja revestida de hiedras, esmaltada de bugambilias, ascendimos una coqueta escalinata de mármol. Fue el momento en que bendije al destino que nos había echado de nuestros grises terrones de Zacatecas a este delicioso rincón del mundo que se llama colonia Roma.[67] No sólo yo; la misma Lulú, que desde la desaparición de su novio no había vuelto a poner buena cara, ahora tenía la mirada brillante y húmeda, y en sus labios frescos tembló una de nuestras dulces canciones abajeñas.[68]

[64] **La Tribuna** *A newspaper in Mexico City which supported Carranza.*

[65] *The forces of the Constitutionalists under General Álvaro Obregón in support of Carranza were nearing the Capital, August 1914.*

[66] **la tengo yo tomada** I made arrangements for one.

[67] **colonia Roma** *A select residential district south of the Paseo de la Reforma.*

[68] **canciones abajeñas** *Songs of the region which includes the states San Luis Potosí, Guanajuato, Querétaro, and Aguascalientes. The portion of the nation below the mountains but above the tropical plains is known as* **el Bajío.**

Pasé esa primera tarde en la terraza, contemplando con deleite el cálido verdor de la arboleda.

Mamá, aunque se negó a confesarlo siempre, cedía también a estos encantos. Su duro ceño se había borrado y hasta me permitió salir, acompañado de Lulú, a recorrer algunas calles.

La mañana habría acabado como en el mejor de los mundos, sin un incidente tan placentero para Lulú, como desagradable para mí. Como brotado de la tierra nos salió al paso Archibaldo.[69] Me saludó sonriendo, puso una carta en manos de Lulú y siguió caminando a su lado.

—Mamacita nos espera en punto de las diez, Lulú, y sólo faltan diez minutos —dije sacando mi reloj.

Archibaldo sonrió con ironía; pero debió convencerle mi gesto y el acento de dignidad que puse en mi voz, pues sólo dos calles más nos acompañó y luego se despidió: Lulú y yo seguimos adelante, sin hablar. Naturalmente yo me sentía de nuevo distanciado de ella.

Antes de cuarenta y ocho horas las hordas de Carranza hicieron irrupción.[70] De improviso se ensombrecieron las calles, inundadas de bestias y de gentes peores que las bestias. Gentes renegridas de barbas ralas y ríspidas, de agudos y blancos colmillos, de sonrisa idiota y feroz a la vez, que hacen calosfriarse a uno.

—¡Lo hombres del Nuevo Régimen![71] —dijo, sonriendo, Francisco José.

Agustinita escapó al baño a esconder su dolor. Lulú y yo, no obstante nuestra natural zozobra, levantamos los visillos.

—¡Horror, qué caras! —gritó mi hermana y escapó despavorida.

Yo, a la verdad, no comprendía muy bien por qué se les habría de tener tanto miedo y abrí la ventana. En los circos he visto muchas fieras sanguinarias que nunca le hicieron mal a nadie. Llamé a Francisco José quien comentó:

—¡Esto excede a toda ponderación, César! Mira, el que viene acá a la derecha es el hombre-lobo, el que va por la acera de enfrente es el hombre-coyote, y aquel que viene por la izquierda, el hombre-cerdo.

69 **Como . . . Archibaldo.** As though he had sprung from the earth, Archibaldo fell in step with us.

70 *The troops entered Aug. 15, 1914.*

71 **el Nuevo Régimen** *Carranza's régime.*

—Admiro tu perspicacia; pero yo no he visto más que dos en uno solo: el hombre-chacal a ratos, y a ratos el hombre-borrico.[72]

—Nos falta el tipo más interesante, fíjate. Debe de ser todo arrogancia, bravura, nobleza. . . ¿Me has comprendido? Nos falta el hombre-león.

—Temo mucho que esa especie haya desaparecido de nuestra fauna —respondió a espaldas nuestras, Procopio.

Luego que se alejó, me dijo Francisco José:

—Cuando papá quiere tener talento, lo tiene.[73]

—¿Por qué dices eso?

—¿No lo has oído muchas veces justificar la obra de los bandidos?

¿Quién habría de imaginarse que nuestra absoluta inconsciencia ante el peligro y la serenidad con que nos estábamos divirtiendo a costa de los salvajes nos salvaban precisamente de caer en sus garras? ¡La obra de pillaje nos respetó! Observamos, en efecto, poco después, que las residencias abandonadas o al cuidado de sirvientes eran invadidas por las chusmas. Al filo de sus cuchillos, con hachas, cañones y culatas de los fusiles, descerrajaban puertas y ventanas y todo lo saqueaban.

Dice Procopio que no nos pasó nada, precisamente porque no les mostramos miedo ni desconfianza. Pero Agustinita se empeñó en que fue la Virgen de Guadalupe,[74] en cuyas manos nos encomendó, la que nos hizo el milagro en tan aflictivos momentos.

Nuestras calles, pues, fueron convertidas en guaridas de animales. Cuando busco algo muy inmundo con que compararlas, sólo encuentro las inmediaciones del Mercado de la Merced[75] que se me aparece como un símbolo: el verdadero corazón de México.

A los carruajes de gran lujo sucedieron automóviles de lona vil y enzoquitados,[76] siempre llenos de facinerosos horribles y de mujeres pintadas al pastel; verdaderas zahurdas ambulantes que pasaban como furias, sembrando el pánico en corazones tan bien puestos como el del mismo Procopio.

[72] **pero . . . hombre-borrico** but what I see is a combination of two animals in one man who is sometimes a jackal, and at other times an ass.

[73] **Cuando . . . tiene** When Papa wants to be clever, he can be.

[74] **Virgen de Guadalupe** *Patroness of Mexico. The great Basilica in the northern part of Mexico City is her shrine.*

[75] **Mercado de la Merced** *Then the principal market, located near the Zócalo, the great square in the center of the city.*

[76] **A los . . . enzoquitados** Automobiles with filthy, muddy tops had taken the place of luxurious carriages (*of former times*).

Un día vino Pascual demudado, nervioso y violento. La primera vez que lo vi así.

—Imposible traer a Berta; imposible encontrar un coche; todos transitan reventando de gente de guarache y rifle.[77] La plebe se ha apoderado de los trenes eléctricos, y es una hazaña aventurarse en ellos como lo acabo de hacer. No hay gente decente a quien no insulten.

—¡Y es nada todavía! —clamó épica Agustinita[78]—. Esta gente mata no más por el gusto de ver correr la sangre. ¡Ay de mí!

VIII

Una semana más. Átomos perdidos en este infierno. La imaginación volcánica de Agustinita trabajando sin cesar. Presagios como tropel de Euménides por su pensamiento.[79]

Un día Procopio intentó salir.

—¡Hombre de hielo —lo increpó mamá, fuera de sí—, comprende que no sólo expones tu vida, sino la de tu esposa y las de tus propios hijos! ¡Esto es verdaderamente tentar la magnificencia del Señor que nos ha visto hasta hoy con ojos de misericordia!

Precisamente la mañana en que Bernabé volvía del mercado con más novedades que recaudo.[80] Que los bandidos estaban ahorcando en las torres de la Catedral[81] a todos los señores decentes.

—¡Pascual está perdido! —gritó mamá con un alarido que se oyó seguramente en el palacio de Cortés[82]—.

—Calma, lindita, calma, que Pascual es tan conocido en México como nuestra cocinera, nuestra buena Bernabé.

Mamá enmudeció; la ira flamígera de sus ojos fue su respuesta.

Después los espasmos comenzaron a desviar las líneas de su rostro, y sus miembros a torcerse como gallina acabada de descabezar.

[77] **gente . . . rifle** low class people who wear sandals and carry rifles.

[78] **clamó épica Agustinita** Agustinita exclaimed daringly.

[79] **Presagios . . . pensamiento.** Like pursuing Furies, thoughts of omens [*racing*] through her mind.

[80] **más novedades que recaudo** with more that was new than just the supply of vegetables.

[81] **la Catedral** *The National Cathedral which faces the Zócalo.*

[82] **el palacio de Cortés** *Built in the sixteenth century, is located at the northwest corner of the Zócalo. It is now occupied by the Government Pawnshop* (***Monte de Piedad***).

—¡El ataque! . . .

Me precipité a la recámara en busca del éter y del alcohol y di de bruces con Lulú que entró clamando:

—Aquí está Pascual; ha bajado de un automóvil lleno de soldados.

La maquinaria descompuesta de mamá se paró de pronto:

—¡Preso! ¡Vienen por el rescate! ¡Procopio, sálvalo! . . . ¡sálvanos! . . . Que se venda la hacienda. . . que se empeñe la mina. . . ¡Todo, todo por él!

Ni el alcohol, ni el éter, ni las palabras enérgicas de Procopio hicieron en Agustinita el efecto de la sola presencia de Pascual. Sereno como siempre, sonriente como siempre, bondadoso como siempre, bello como siempre.

—¡Pascual, hijo mío!

—¿Qué ocurre? ¿Por qué llora usted?

—Lo sé todo; es inútil que te obstines en negarlo; los bandidos te traen preso.

—¿Bandidos? El capitán Covarrubias, mi magnífico amigo, y otros caballeros que me esperan afuera.

Nos miramos, pasmados. En los labios de Procopio alentó una sonrisa ambigua.

—He adquirido relaciones con personalidades encumbradas de nuestro nuevo gobierno.[83] Hay algunos muy honorables, como el capitán Covarrubias. De todos modos nos conviene aceptar a los hombres nuevos. De ellos es el hoy y el mañana. El capitán goza de las confidencias de Carranza. Es un amigo sincero y leal que podría obtener todo género de garantías para la familia. Si ustedes me lo permiten —continuó Pascual, sin querer percatarse del efecto de sus palabras—, les presento ahora mismo al capitán Covarrubias.

Confieso que no obstante el respeto y cariño que tengo a mamacita y el gran afecto y casi veneración que mi cuñado me inspira, en esta ocasión me distancié mentalmente de ellos. Si no podía explicarme la asombrosa voltereta de Pascual, la respuesta de Agustinita me dejó atónito.

—Procopio, lo que Pascual dice está muy en razón.[84] Es preciso que te presente con el señor Carranza. ¡Qué talento y qué perspicacia! ¿Has comprendido por fin a Pascual?

Papá se sorprendió como potro cogido en un lazo. Y Lulú, cual si no se hubiese amamantado con los rígidos principios de familia, repuso con vehemencia:

[83] **nuestro nuevo gobierno** *Carranza's government.*

[84] **muy en razón** very reasonable.

—¿Y la famosa dignidad?

En tanto que Agustinita hubiese querido fulminarla con su mirada, Procopio, en un halo de ternura emanado de sus ojos paternales, la mantuvo firme y arrogante en su irrespetuoso gesto.

Pero yo no sé por qué en eso paró todo. Pascual, sin alterarse, dijo:

—No siendo aceptables mis condiciones, me retiro. Pero no debo ocultarles que corren peligro permaneciendo en esta colonia.

—¡Cómo! ¿Qué misterio encierran tus palabras? —gimió mamá, consternada.

—Lo he dicho muy claro —respondió ya de pie—, las familias decentes son las más expuestas a los atropellos.

Pascual se retiró y Agustinita, ahogándose en cólera, ordenó a Procopio que en el acto se buscara otra casa.

—¿Y adónde podemos ir que no tropecemos con ellos?

—A la colonia de la Bolsa o la de Santa Julia[85] —habló destempladamente Francisco José—; es lógico suponer que ahora en tales sitios las familias decentes encuentren el máximo de garantías.

—Afanes y molestias excusadas si Procopio no fuera tan obstinado —dijo Agustinita.

Y como Procopio permaneciera mudo, insistió:

—Hombre terco, habla con Carranza, habla con Obregón[86]. . . Pascual te abre esas puertas. . .

—Sí, lindita —le respondió papá con voz meliflua y sonrisa mordente—; iré al momento con Carranza, como nos lo aconseja Pascual, y en seguida traeré a casa a todas sus nuevas amistades. ¡Qué alegría! Nuestra casa, albergue de bandidos. ¿No es el nombre con que todavía ayer los llamabas?

Hay que confesarlo: si las hordas de Carranza son capaces de todos los desmanes, ¿cómo franquearles las puertas de nuestro hogar? ¿Cómo entregarles a Lulú? ¿Cómo confiar a sus manos, honras, vidas y hacienda?

Hice conocer mis pensamientos y mis temores a Lulú, le dije que iría a ser una inocente gacela en medio de una manada de lobos hambrientos, y prorrumpió en una risa desconcertante.

—Esta gente de la revolución me da tanto miedo, César, como el falderillo que va pasando.

[85] **la Bolsa . . . Santa Julia** *Districts frequented by thieves. La Bolsa is north of the Zócalo and Santa Julia is west of the San Rafael district.*

[86] **Obregón** *General Álvaro Obregón, who supported Carranza during the Revolution but turned against him in 1919. He served as President of Mexico, 1920–1924. As President-elect in 1927, he was assassinated.*

IX

Hubo, por tanto, que cambiar de domicilio. ¡Qué casa la nueva![87] Por un pasadizo angosto e interminable, alumbrado con luz artificial a las cinco de la tarde, se llegaba a un patio húmedo y frío, como fondo de pozo gigantesco, muros por los cuatro costados agujereados de bocas oscuras en las que vislumbré inquietas cabezas femeninas, como palomas en su palomar.

Recorrimos el departamento desocupado que se nos ofrecía. Era el mejor del segundo piso: sarta de cuartos sin más ventana que la de la calle y sin otros horizontes que el muro encalado y reverberante de una fábrica de chocolates. Me sentí sofocado.

Salimos resueltos a tomar la casa y esa misma noche Procopio firmó el contrato. Abandonamos, pues, nuestro hermoso palacete, resignados y abatidos.

Los primeros días Procopio no chistó, pero a fines de la primera semana comenzó a quejarse del ambiente helado y sofocante entre las blancas y desnudas paredes. Hasta que un día estalló, por fin:

—Aquí se vive como animal enjaulado.

No hubo fuerza humana capaz de contenerlo y se echó a la calle.

Una tarde nos llevó Pascual al capitán Covarrubias. Joven arrogante de buenos ojos,[88] boca pequeña, coronada por dos rubios alacranes,[89] caninos brilliantísimos y excesivamente agudos.

—Mi gran amigo Pepe Covarrubias —explicó Pascual, notando nuestra acogida fría y casi hostil— es miembro de una acaudalada familia fronteriza. Paisano y amigo del señor Carranza. Si es sólo capitán es porque sus ambiciones no son de ese género. Se metió a la revolución no más por cuidar los intereses de su familia.

Agustinita bruscamente cambió de semblante y se apresuró a disculparse:

—Usted nos hará favor de dispensarnos, señor; pero nos espantan todas esas gentes de polainas y sombrero texano. Con la explicación de Pascual lo comprendo todo; es muy noble y muy justo el motivo que lo ha obligado a seguir a esta gente. Por tanto, ya sabe usted que está en su casa. . .

87 **¡Qué casa la nueva!** What a house the new one was!
88 **buenos ojos** good looking eyes.
89 **dos rubios alacranes** two spikes of a reddish mustache like the tails of scorpions.

—Señora, sabré hacerme digno de la amistad de tan distinguida familia —respondió Covarrubias con resonancia de clarín.

La conversación fue muy animada. Cuando después de habernos olvidado de la presencia del capitán volvimos los ojos hacia el sitio que ocupaba al lado de Lulú, tuvimos la desagradable sorpresa de verlo cortejándola con maneras que, si son muy mexicanas, no están dentro de las costumbres de la gente decente de provincia. Mamá plegó la boca con disgusto, llamándole la atención a Pascual. Y Pascual le explicó al oído:

—Es su modo de ser; pero yo garantizo su caballerosidad.

Luego, como viera que sus palabras no lograban serenar los ojos encendidos de Agustinita, llamó al militar:

—Pepe, ven acá. Te he hablado alguna vez del talento literario de Francisco José. ¿No es verdad? Es poeta de porvenir. Quiero que le oigas alguna de sus últimas composiciones.

Vino, pues, a nuestro lado y nos dijo que era un devoto del arte en todas sus manifestaciones.

Y Francisco, de pie, en medio de la sala, echó atrás su negra y abundosa cabellera, mostrando una frente comba y serena, sus ojos ensoñadores, su nariz aquilina y su labio inferior saliente y bondadoso. Con esa gracia tan suya, comenzó a recitar un soneto.

—¡Qué tal, Pepe! ¡Qué tal! —exclamó Pascual casi en éxtasis.

—Joven —respondió enfático Covarrubias—, tiene usted indiscutibles facultades; sólo que lo encuentro. . . un poquito pasado. . . Búsqueme mañana a las siete para llevarlo a una reunión de literatos y presentarlo. Búsqueme usted, y Lulú; yo tendré mucho gusto. . . ¿Irá usted, Lulú?

Pero Lulú no pudo contestarle porque había desaparecido. Mamá comentó después: "Si este joven consiguiera borrar la impresión que el perdulario de Archibaldo ha dejado en la niña, yo me haría un poquito tolerante."

Pero no fue tal el parecer de Lulú.[90] Las dos ocasiones que el capitán volvió a la casa, mi hermana se obstinó en no salir ni a saludarlo.

X

Siguieron discurriendo los días con desesperante lentitud. Una mañana, Lulú me llamó aparte:

[90] **Pero . . . Lulú.** But Lulú was not of the same opinion.

—César, me muero aquí. ¡Sin aire, sin luz, sin sol! Tú, que eres el consentido de mamá, ruégale que nos deje salir a la calle, una hora siquiera.

—Pero, Lulú, ¿estás en tus cabales?[91] ¿Te atreverías a poner los pies fuera de casa, viendo cómo todavía van las calles llenas de esa gente sin fe ni temor de Dios?

—¿Te aprendiste ya la tonada? ¡Baboso! Ven a la ventana a ver cómo todo el mundo camina ya tranquilamente.

Pudo tener razón; pero fue la cojera innata[92] de mi carácter lo que me obligó a acceder. Naturalmente, Agustinita me dio por respuesta un no rotundo y una solemne filípica para Lulú. Mamá es bastante sagaz para comprender que no habría de haber nacido en mi cabeza semejante idea. Con todo, el demonio, que en dondequiera se mete, hizo que esa misma tarde se realizaran los deseos de mi hermana. Sucedió que en esos días los artículos de primera necesidad habían alcanzado proporciones alarmantes, debilísimo boceto, a la verdad, del espectro del hambre que ahora conocemos tan bien, del hambre que no sospechamos sino como existencia hipotética, como creación de la fantasía de los demagogos. Pues bien, mamá había necesitado violentarse hasta el último extremo para confesar que en menos de dos meses se agotaron hasta los últimos *cartones*.[93] No había para el desayuno del día siguiente.

—Debías habérmelo dicho antes.[94] Voy en seguida a procurarme dinero —respondió Procopio sin alterarse.

—No; Pascual nos lo conseguirá más pronto. Lo llamaré por teléfono.

Procopio tomó su sombrero y salió a la calle sin responder.

Cuando dieron las tres nos alarmamos, porque papá es un cronómetro.[95] Agustinita opinó que alguna interrupción en el tráfico lo habría detenido. Y con eso, todos nos pusimos a comer tranquilamente. Pero dieron las cuatro y luego las cinco, y él no regresaba.

—Le hablaremos a Pascual, mamacita, es posible que él sepa algo —observé.

Lulú y yo corrimos al teléfono de la botica de enfrente. Pero no fue posible obtener comunicación. Lulú, que tomó la bocina, dijo

[91] **¿estás en tus cabales?** are you in your right mind?
[92] **cojera innata** natural weakness.
[93] **cartones** *pieces of colored cardboard used for fractional currency.*
[94] **Debías . . . antes.** You should have told me before.
[95] **papá es un cronómetro** Papa is as dependable as a chronometer (watch).

que la línea estaba interrumpida, que no contestaban y qué sé yo.[96] Regresamos a casa y Lulú se empeñó en que ella y yo fuéramos personalmente a buscar a Pascual.

—Pues si eso se hace, que sea en seguida —respondí—; porque anochece y yo no me atrevería a salir a la calle ya.

Alarmada, mamá se mostró perpleja antes de tomar cualquier determinación. Lulú le demostró con mucha habilidad que no caminaríamos ni veinte metros por nuestros propios pies, pues todo era cosa de subir en la esquina en un tren de San Rafael,[97] bajarnos en el mismo hotel y luego regresar con la misma seguridad. Quién sabe por qué me pasó algo, por la imaginación, de sospechoso en la actitud de Lulú, y quise dar la voz de alarma; pero me dio lástima con ella y guardé silencio.

Todavía Agustinita luchó breves instantes para decidirse. Por fin, encomendándonos fervorosamente a toda la Corte Celestial, nos despachó a la calle.

Ya en el zaguán, la pobrecilla me recomendaba todavía el cuidado de Lulú y a Lulú que cuidara de mí.

No bien pusimos los pies en la calle, me arrebató con audacia inconcebible:

—¡Qué trenes ni qué trenes! ¡Ésa nos faltaba no más! Salimos tullidos y ahora nos vamos a encajonar por nuestro puro antojo,[98] cuando tenemos las calles libres y dos horas cuando menos para recorrerlas.

—¡Por la Virgen María, Lulú!

—A nadie le tengo miedo, yendo del brazo de César.[99]

Asióme fuertemente y lanzó una sonora risotada.

—¡Ay Lulú, qué pérfida eres! ¿Qué te puedo responder cuando así pones a prueba la dignidad de mi sexo?

Nos echamos, pues, como unos locos por esas calles de Dios. Perdidos entre una muchedumbre que caminaba aprisa, aprisa. La tranquilidad de los transeúntes me devolvió la de mi espíritu. Acabé por contagiarme de la loca alegría de Lulú. Cuando encontramos una

[96] **qué sé yo** I don't know what all.

[97] **tren de San Rafael** *A streetcar line to the center of the city from the residential district of San Rafael.*

[98] **¡Qué . . . antojo** Streetcars my eye! That we can do without! We come out of the house feeling cramped; now why should we cage ourselves up again for no good reason.

[99] **yendo . . . César** when I'm on César's arm.

multitud de hombres toscos, pensé con horror: "¡Son ellos!" Efectivamente, me antellevaron al encontrarnos; pero, al salir ileso del choque, tuve una sensación extraña de alegría y espanto.

Al pasar por San Fernando[100] me chocó el saludo de Lulú tan efusivo a alguien a quien yo no veía.

—¿Algún paisano, Lulú?

—Sí —me respondió sonriendo—; es un paisano.

Soltó una carcajada. Ya Archibaldo estaba frente a nosotros, descubierto, radioso como el sol a mediodía.

—Como antes te afeitabas, te desconocí —observé con sequedad. Intenté hacerle comprender mi disgusto por el encuentro; pero sin darme tiempo a comenzar, con un desplante sin igual, retiró mi mano del brazo de Lulú, tomándolo él mismo con gesto muy ardoroso. Luego me hicieron caminar por delante.

¿Quiénes serían los testigos de mi humillación y vilipendio? Afortunadamente nadie reparaba en mí ni en Archibaldo ni en Lulú. Parece que en México es banal costumbre que los novios salgan juntos de paseo y que los hermanos hagan la vista gorda.[101] "No les hablaré en todo el camino", pensé con dignidad. Sólo que ellos, alegres como una pareja de gorriones escapados de su jaula, se ocupaban demasiado de sí mismos y no se daban cuenta de mi existencia siquiera.

Ardiendo en justa cólera me di a la meditación del medio más adecuado para poner a mamá al corriente del sucedido, dejando a salvo mi dignidad y eludiendo las responsabilidades, cuando comenzó una borrasca.

XI

Pasábamos por la Alameda.[102] El viento bramaba, los follajes, sacudidos furiosamente, gemían. Por mi felicidad no hubo rayos ni truenos, que me habrían hecho perder el gesto digno. Sin embargo, cuando el aire, roncando a lo largo de la calle, arrancó de cuajo un poste de la luz, un movimiento automático me hizo retroceder y ponerme codo a codo con Archibaldo.

[100] **San Fernando** *Street and garden near the Paseo de la Reforma.*
[101] **hagan la vista gorda** pretend not to see what is going on.
[102] **la Alameda** *Refers to the principal park and promenade in the center of the city.*

—No te asustes, no es nada —me dijo.

Sentí que la cara me quemaba, pero tuve la energía suficiente para no implorar y seguí adelante, conservando mi gesto amenazador y mi mutismo perfecto. Grandes gotas comenzaron a salpicar el asfalto.

—Podríamos refugiarnos aquí debajo de los árboles —dijo Archibaldo.

Junté todas mis energías y repuse autoritario:

—Mamá no nos ha enviado a refugiarnos debajo de ningunos árboles; Lulú y yo debemos seguir nuestro camino; en cuanto a usted, caballero, es muy libre de tomar el que mejor le acomode.

Creo que hasta ese momento se dieron cuenta de mi existencia. Me vieron sorprendidos, se miraron uno a otro y luego rieron cual si les hubiesen hecho cosquillas.[103]

—En la acera de enfrente está abierto un zaguán. Vamos allá, Lulú, mientras pasa este chubasco.

Me siguieron sin chistar; pero no llegamos al umbral cuando el portero casi nos estampa las puertas en las narices.

—Oiga usted —grité encolerizado—, ¡que somos[104] los Vázquez Prados de Zacatecas!

Perplejo, puesto que había tomado ya el papel que legítimamente me pertenecía, medité nuevas disposiciones, mientras que ellos reían y flirteaban, muy contentos, apretujándose bajo la tempestad furiosa, como si estuvieran a la tibia claridad de la luna.

Cayó un rayo, se extinguieron las luces, y yo, a tientas, busqué a Archibaldo y a Lulú y estrechamente me abracé a ellos. ¿Qué hacer?[105]

Cual luciérnagas fugitivas, pasaban y se entreveraban precipitadamente lucecillas blancas, verdes, rojas, al sordo rodar de camiones, carruajes y bicicletas. Cerca de nosotros pasaban bultos borrosos, se replegaban a la pared e instantáneamente desaparecían. De pronto la luz se encendió en todos los focos y renació la gran avenida desierta, inundada en refulgente claridad. Diagonalmente la lluvia dibujaba arabescos de cristal. Pero fue visión de un instante; una nueva descarga eléctrica nos sumergió otra vez en tinieblas.

Y entonces ocurrió algo horrible. Cerca de nosotros se levantó un tremendo vocerío: "¡Viva Francisco Villa! ¡Muera don Venus-

[103] **cual . . . cosquillas** as though something had tickled them.
[104] **que somos** (*I want you to know*) that we are.
[105] **¿Qué hacer?** What else could I do?

tiano!"[106] Luego dispararon y la gente echó a correr en todas direcciones. Llegó hasta nosotros una avalancha y nos arrebató. Quise retroceder en busca de Lulú y me perdí; no supe ya en qué dirección caminaba. Me entró tanto miedo que me puse a rezar y, con los ojos rasos, grité:

—¡Archibaldo, Lulú, aquí estoy! . . .

A ese tiempo, de un zaguán muy grande salieron muchos hombres armados que se dispersaban en opuestas direcciones. De pronto una mano pesada se posó sobre mis hombros:

—¿Eres tú, Archibaldo? —gemí.

Me respondieron en un lenguaje que no pude entender; luego, asiéndome fuertemente, casi me arrastraron a yo no sé dónde. . .

Frío intenso me calaba los huesos. Me estremecí, di un lamento débil y abrí los ojos. ¡Horror! Unos hombrazos, con caras de ídolos aztecas, me tenían sumergido hasta el cuello en una fuente de agua helada.

—¡Jesucristo! ¿En dónde estoy? . . .

No pude entender el güirigüiri de aquellos abortos del infierno. Hablaban en torno mío y me mostraban sus dientes blanquísimos en una mueca horrible. Uno de ellos, musculoso y colosal, me sacó de la fuente y, a empellones, me condujo a un sitio muy oscuro donde me dejó abandonado. Sin fuerzas para tenerme en pie, me tendí en el suelo. Un olor acre de estiércol me llenó la nariz, luego sentí muy cerca las ferradas pesuñas de una bestia. Comprendí que me tenían en las caballerizas del cuartel. Lloré amargamente mi desventura con lágrimas que habrían partido los más empedernidos corazones. Pero ¿qué esperar de gentes que, como dice mamá, no tienen alma que salvar?

Me vino la idea de que la vida se me iba a extinguir en aquel estercolero, y ¡caso extraordinario y estupendo!, en vez de encomendarle mi alma al Señor, víctima de un ataque de rebeldía, incomprensible, grité con todas mis fuerzas:

—¡Basta ya, Dios mío; me aprietas como un zapato nuevo! . . . ¡Mal haya la hora![107] . . .

Espantado por tan fea blasfemia o falta de urbanidad, comprendí que era la sangre de Procopio la que en tal instante había hervido en mis venas, y con arrepentimiento de todos mis pecados inmedia-

[106] **¡Viva . . . Venustiano!** Long live Francisco Villa! Death to Don Venustiano!
[107] **¡Mal haya la hora!** Cursed be the hour!

tamente hice un acto de contrición y me dispuse a morir reconciliado con Dios siquiera.

Dicen que los moribundos viven en un segundo su vida pasada entera. Lo que yo sentí en ese momento solemne fue una fortaleza incomparable. Me vi rodeado de todos mis más tiernos afectos terrenales.[108] No me faltó Agustinita con su amor meticuloso, ni Pascual con su refinada cortesía, ni la misma Lulú, frívola y causa de mi desgracia, ¡qué digo!, ni el mismo Procopio cuya sangre me hizo blasfemar; nadie turbó el encanto de estos trágicos momentos. Cerré, pues, muy fuertemente los ojos, dispuesto ya a rendir mi alma al Creador. Pero en el reloj de los tiempos no había sonado mi hora todavía; una mano brutal, quizá la misma que en la calle me arrastró al cuartel, me levantó bruscamente del suelo y me hizo luego salir del corral. A oscuras atravesé un patio inmenso, luego me hicieron caminar por un corredor sombrío e interminable. Mis pies tropezaban con una multitud de bultos achaparrados y de sombras que se agitaban y se agigantaban a medida que me acercaba al único foco eléctrico a mitad del corredor. Cuando mis ojos se acostumbraron a la media luz ambiente, aquellas sombras comenzaron a encarnar: unos cocinaban, otros zurcían negros andrajos, muchos se espulgaban y los más, tumbados como bestias, parecían dormir profundamente. Reparé en el notable parecido de todos ellos: el mismo color olivo mate, los mismos pómulos chatos y pegados a la piel, la misma inexpresión de sus ojos pequeños y sin cejas, de sus labios delgados e imberbes, los mismos cabellos largos, lacios y relucientes. Pero, supuesto que se movían, ídolos no eran; y entonces ¿quiénes eran, pues? ¿Quién hombre y quién mujer?[109] La luz se hizo bruscamente en mi cerebro y me puse a tiritar: ¡un cuartel de yaquis! . . .[110]

Me llevaron al zaguán. Un charro[111] muy fornido, de aplanchada camisa de calicot,[112] pantalones abombados de lona blanca, ajustadas polainas negras y un sombrero de petate de alas tan anchas que tocaban ambos muros, me salió al encuentro:

108 **mis . . . terrenales** my best loved ones on this earth.

109 **¿Quién . . . mujer?** Which were men and which were women? *Because* **Yaqui** *men and women wear their hair in similar fashion, he could not tell which was which.*

110 **yaquis** *Indians of the mountainous region of the far northwest. They were followers of Obregón.*

111 **charro** *An excellent horseman who wears a special type of suit, often lavishly trimmed, and a hat with high crown and wide brim.*

112 **camisa de calicot** white cotton shirt.

—¿Conoces a este amigo, chamaco?

—¡Archibaldo. . . Archibaldo, mi cuñado! —grité con alegría indecible.

Sin sombrero, empapados y revueltos los cabellos como un estropajo, Archibaldo, descolorido como un muerto, se encontraba en medio de una escolta.

—¡Fíjese, mi general —dijo—, en que este pobre muchacho es incapaz de lo que dicen! Lo que yo declaré es la pura verdad.[113]

El bandidazo, a la luz del foco del zaguán, me miró con rara curiosidad de los pies a la cabeza y, dándome un puntapié en salva sea la parte, me puso en la calle con toda felicidad, y gruñó:

—¡Qué villista ni qué. . . ![114]

—¡Bendito sea Dios! —le dije a Archibaldo luego que estuvo ya a mi lado, también en libertad—. ¡No sabes las horas trágicas que he vivido!

—Pues todavía te falta saber lo principal. Nos iban a fusilar a los dos. Hubo un complot en los alrededores del cuartel y a ti te cogieron como villista. Cuando te nos perdiste, me ocurrió venir a preguntar por ti al cuartel y a mí entonces me acogotaron también. Nos ha salvado tu escaso desarrollo físico y tus apariencias. . . no muy masculinas. . .

—¡Archibaldo, ven a mis brazos! . . . ¡Te debo la vida! Pero ¡ay de mí! —lancé un gemido—. ¡Archibaldo, estoy herido, estoy herido de muerte! ¡Sangre, Archibaldo, sangre! . . .

—Pero es que en el cuartel te vi muy bien la cara y sólo la traías acabadita de lavar. . .[115]

—Tú dirás lo que quieras, Archibaldo, pero siento ya que la cabeza me da vueltas. . . ¡Auxilio! . . . ¡Por piedad, que me muero! . . . ¡Archibaldo, sosténme, que las fuerzas me abandonan! . . .

XII

Muy alarmado, Archibaldo me llevó a la luz, me registró con minuciosidad y luego de lanzar una desconcertante carcajada, me dijo:

[113] **la pura verdad** the gospel truth.
[114] **¡Qué villista ni qué!** You're no *villista* nor anything else!
[115] **soló . . . lavar** you had only just that minute finished washing it.

—No tengas cuidado, César; no es sangre sino secreción de tu nariz, muy abundante seguramente por el chapuzón.

No obstante su tono inconveniente, sentí que el alma me volvía al cuerpo.

—¡Ahora es preciso que vayamos por Lulú! —me dijo, lleno de sobresalto.

—¡Virgen de los Remedios! ¿Pues en dónde la dejaste? Por la gloria de tus padres, Archibaldo, ¡hazme la caridad de decirme qué es de esa pobrecita!

—Lulú nos está esperando en la Alameda.

—¿Sola en la Alameda? ¿Es posible que seas tan ligero de cascos,[116] Archibaldo?

—Seguramente que allí está mejor de lo que tú estabas en el cuartel.

Su reconvención no tenía réplica. A toda prisa entramos bajo los árboles; Archibaldo se encaminó hacia una banca de la que se levantó presuroso a nuestro encuentro un caballerito que se echó a mis brazos, sollozando.

—¡Bendito sea Dios! —exclamé.

Era ella, Lulú, envuelta en el impermeable de Archibaldo y con su sombrero puesto. Nos besamos y lloramos de alegría. Me acarició con tal ternura que yo, sin reflexionar en el alcance de mis palabras y respondiendo sólo a la voz de mi corazón agradecido, revistiéndome de la solemnidad que tal acto requería, dije:

—Os lo perdono todo; mi vida es vuestra, tenía la intención de contárselo todo a mamacita; pero, por la venerada memoria de los generales Prados, os juro que mis labios serán mudos.

Ebrios de alegría se abrazaron sobre mi cabeza y me parece que hasta se besaron.

Cuando llegamos al mercado de San Cosme,[117] Archibaldo se despidió, y yo me di cuenta ya de la monstruosidad de mi ofrecimiento.

—Puesto que contamos con César —dijo Archibaldo—, vámonos viendo con más frecuencia, Lulú.

Apenas le di la mano.

—¿Qué te parece, Lulú? ¡Mira hasta qué grado de abyección me has hecho descender! ¿Qué vamos a contarle ahora a mamá? ¿Qué vamos a decir a papá?

116 **ligero de cascos** irresponsible.

117 **mercado de San Cosme** *A market in the Santa María la Rivera district patronized by the* ***gente decente.***

—No te preocupes por tan poca cosa. Papá debe estar a estas horas ya en su cama y mucho más calientito de lo que nosotros vamos. Corre que ya van a ser las ocho.

A las puertas de la casa, me detuve perplejo, angustiado. ¿Cómo explicar a mamacita nuestro retardo sin faltar a la verdad y al mismo tiempo sin quebrantar mi malhadado juramento a Lulú y a Archibaldo? Fue inútil devanarme los sesos;[118] mis energías estaban agotadas; dejando al acaso que todo se decidiera, erguí la frente cuanto pude, di un paso adelante y entré.

Mamá lanzó un grito y se desvaneció. Allí estaban también Pascual y Berta. Todos corrieron a detenerla en los brazos. Francisco José me besó en la frente. Luego que mamá volvió en sí, me atrajo hacia su pecho y nuestros besos y nuestras lágrimas se juntaron.

Con desplante sólo para visto,[119] dijo mi hermana:

—Pues ahí tienen no más que subimos al tren cuando a medio camino comenzó a llover, luego se apagó la luz y, a oscuras, donde a mí se me ocurrió que era la calle de Isabel la Católica[120] nos bajamos. Un callejón como boca de lobo; luego calles y más calles sin una alma. "Se me hace[121] que ya nos perdimos, Lulú", me dijo César. Yo bien me lo sabía; pero callé. Vagamos, hechos una sopa,[122] sabe Dios por dónde. La pura casualidad nos puso de repente sobre la línea de San Rafael. . . y gracias al milagro de no sé qué santo, aquí estamos ya.

—Pero ¿cómo pudieron venirse por San Rafael —observó Berta muy sorprendida—, si desde las seis de la tarde están suspendidos esos trenes por no sé qué desperfecto en la línea? Nosotros tuvimos que tomar un coche porque nos aseguraron que hasta mañana correrían de nuevo esos trenes. . .

"¿Cómo te las vas a componer ahora, descocada Lulú, para salir de este atolladero?" Levanté la cabeza para observar semblantes, y el primero con quien di fue con el de papá,[123] con una tremenda sonrisa en los labios y elocuente en su sarcasmo como pocas veces lo he visto. Me sentí desnudo en absoluto y tuve un ímpetu de decir

[118] **devanarme los sesos** rack my brains.
[119] **Con . . . visto** With obvious boldness which you would believe only if you had seen it.
[120] **Isabel la Católica** *A major downtown avenue.*
[121] **Se me hace** It seems to me.
[122] **hechos una sopa** soaked to the skin.
[123] **el primero . . . papá** the first I noticed was Papa's

la verdad, de gritarla. Pero, compadecido seguramente de mi tortura, Procopio vino discretamente a mi lado y acariciándome la cabeza, con su habitual benevolencia, susurró a mis oídos:

—¡Pobrecillo! . . . ¡Eres hijo de tu madre! . . .

¿Por qué en vez de bajar mis ojos, humillado, erguí la cabeza en muda protesta? ¿Por qué me sentí herido?

Lulú, entretanto, había salido del aprieto con la mayor facilidad:

—Yo no sé si fue precisamente un tren de San Rafael el que nos dejó aquí cerca; lo único que puedo asegurarles es que ya estamos juntos y sin más novedad que la de haber llegado vueltos ranas.

—Por cierto que hasta cantas ya —exclamé sin poderme contener.

Pero no entendió mi amargo reproche:

—¡César, hermano de mi alma —prorrumpió en una alegre carcajada—, no había reparado en ti! Pareces ratón salido de la manteca. . .

Todos la festejaron, hasta mamacita, que se echaba la culpa de todo lo sucedido, sin acordarse más de las pérfidas insinuaciones de Lulú.

XIII

"Dios aprieta, pero no ahorca", dice Agustinita. Y es la verdad. Contra toda previsión, esa noche dormí como sólo lo hago cuando estoy resfriado y mamacita, previo masaje general muy vigoroso, me hace engullir una pócima caliente de leche con flor de saúco, amapolas y ciruelas pasas. Mi primer pensamiento, al despertar, fue la enmienda de mis yerros. ¿Cómo habría podido vivir llevando a cuestas[124] la complicidad infame a que me comprometiera en un momento de perfecta inconsciencia o de absoluta imbecilidad? Me incorporé, salté del lecho y me fui al lavabo. Una jarra de agua fría borbotó sobre mi nuca, devolviéndome mi lucidez. "Hablaré claro —pensé— y en primer lugar a Procopio, porque su sonrisa la llevo aquí clavada como el aguijón de una avispa venenosa; después se lo diré todo a mamacita para que tome las providencias que su deber le dicte."

Pero no gasté mi fósforo ni mi saliva siquiera.[125] Los aconteci-

[124] **llevando a cuestas** carrying on my conscience.

[125] **Pero . . . siquiera.** But I did not [have to make] use of my brains or my words after all. (*Lit.:* I did not [have to] use my [brain power] nor my saliva.)

mientos se presentaron de por sí[126] tan favorables a mis deseos. Al salir de mi habitación vi a papá que hablaba con alguien desde su ventana a la calle:

—Sube, hombre, sube. ¿Por qué rondas la casa como si fueras algún facineroso?

Ya lo creo que habría de subir.

—Tía Agustinita, me alegro de verla tan bien. La colonia de San Rafael[127] le *asienta* mejor que la colonia Roma. Ha echado un color y unos carrillos que cualquiera va a pensar que es usted la hermana de Lulú y no su madre.

El muy adulador se encaminó a saludar a Francisco José:

—Te felicito, Paco, por tus versos de ayer[128] en *El Radical*.[129] Son una verdadera revelación.

Y así como lo cuento, con dos frases y dos gestos apretados de puras mentiras, Archibaldo nos echó de nuevo en su bolsillo, fundiendo los hielos de una entrevista que para otro habría sido de tortura y confusión.

Naturalmente que su reingreso al seno de la familia en esta forma me quitó de encima un peso formidable.

Para ciertas personas, el uso de la palabra es un aditamento redundante. Entre Archibaldo y Procopio no mediaron explicaciones ni disculpas:[130] una leve sonrisa, un franco apretón de manos: y eso fue todo.

Su visita fue breve, y cuando se despidió con un "hasta la tarde" odioso, nos encaminamos más que de prisa al comedor.

—¿Adónde van? Podrían haberse quedado en sus camas. Lo siento mucho, hijos míos; pero, mientras no venga Pascual con más dinero, tendremos que amarrarnos la tripa.[131]

El tono era tan acre y tan directa la alusión, que Procopio, contra sus hábitos y maneras, se sintió constreñido a responder:

—Reconozco mi culpa; perdí la tarde buscando dinero y he vuelto sin un papelucho siquiera para desayunarnos ahora.[132] La verdad es que no puede uno resolverse a ser la víctima indefensa de estos

[126] **de por sí** all by themselves.
[127] **La colonia de San Rafael** *A good residential district near the central Alameda.*
[128] **de ayer** which appeared yesterday.
[129] ***El Radical*** *A newspaper in Mexico City that supported Carranza.*
[130] **no . . . disculpas** no explanations or excuses were necessary.
[131] **tendremos . . . tripa** we shall have to tighten our belts.
[132] **sin . . . ahora** without even a piece of filthy paper money to buy something for our breakfast now.

rateros del Banco que, contagiados de los procedimientos de nuestros ilustres mandatarios, lo asaltan a uno con "la bolsa o la vida."

—Salvaste la bolsa, no cabe duda, y ahora nos desayunaremos con tu gallarda acción —exclamó mamá— Pascual conseguirá dinero sin dificultad alguna: lo verás.

—En las condiciones en que Pascual lo arregle, seguramente yo también lo habría traído. . .

—Lo habría. . . pero no lo hubiste. . .

Procopio descargó un puñetazo sobre la mesa del comedor.

Me asusté. Vagos recuerdos de mi niñez se removieron y cuando se fueron aclarando en mi memoria, sentí miedo.

—Comprende —le dijo— que con tu disgusto tampoco nadie se desayuna.

—He confesado mi falta. ¡Basta!

—Y deberías confesar también que la inquina que le tienes a Pascual es injusta.

—Yo no tengo inquina a nadie.

—Siempre has puesto en duda su habilidad, su talento, su. . .

—Para hacer negocio con el bolsillo ajeno no se necesita ningún talento.

—Pascual nos traerá fondos.

—Igual que otras veces: un cerro de papel-basura a reintegrársele en valores efectivos.[133]

—Papel-basura que nos dará de comer. Y de todos modos algo que tú no has podido conseguir.

—¡Que basta, he dicho! . . .

La voz de Procopio resonó como trueno.

Francisco José, cuyo temperamento estético repugna a toda manifestación de violencia se refugío en el *water-closet*; yo tiritaba, arrimado a la falda de mamacita.

Y ella, como si le hubiesen dado cuerda.[134]

—Lo que sucede es que las cualidades de Pascual han despertado la envidia y el odio de la impotencia.

—Lo que sucede es que Pascual es un *maula*[135] digno de la veneración de tías idiotas.[136]

[133] **papel-basura . . . efectivos** paper garbage (*paper money*) which will have to be paid back in real money.

[134] **como . . . cuerda** as if she'd been wound up like a watch.

[135] ***maula* (*mula*)** *A grave insult when used in this manner.*

[136] **tías idiotas** silly old women.

Un nuevo puñetazo hizo rodar piezas de la vajilla con estrépito sobre el pavimento.

Procopio se levantó y a sus espaldas las puertas, al cerrarse como por un recio ventarrón,[137] hicieron retumbar toda la casa.

Siguió el silencio más profundo. Mamá se mantenía inmóvil y lívida.

Con voz apagada y enronquecida y con osadía incomprensible, Lulú dijo:

—¡Papá tiene razón!

XIV

A honor y lustre de nuestra casa, escenas de esta índole han sido excepcionales. Puedo asegurar que sólo en otra ocasión ocurrió algo semejante. Papá se había empeñado en que Francisco José y yo fuéramos a los Estados Unidos a completar nuestra instrucción. Mamá, para defendernos de tal atropello, concibió la idea de consultar el parecer del señor Obispo. Los resultados fueron decisivos. Mamá regresó del obispado llena de bríos. Con gran denuedo tomó abiertamente la ofensiva y así le habló a Procopio:

—Quiero que me demuestres en dónde está la superioridad de las universidades norteamericanas sobre establecimientos nuestros como, por ejemplo, el colegio de los prades maristas de Zacatecas o el de los jesuitas de Saltillo.[138]

Papá creyó poder responder con sólo levantar sus hombros desdeñosamente y sonreír.

—¿Entonces lo que pretendes es únicamente hacer de nuestros hijos unos protestantes, masones, ateos? —prorrumpió mamá con ímpetu.

—Bien sabes, lindita, que nunca te he disputado la educación de la familia. Querría prepararlos mejor para la lucha, eso es todo.

—Sí, ya entiendo; arrancar el trigo que yo he sembrado en sus tiernos corazones y suplantarlo con la ortiga del siglo.

—¡La ortiga de las ideas del siglo! —exclamó sonriendo de muy buen humor todavía papá—. Eso quiere decir que vienes del confesonario.

—De consultarlo con su Señoría Ilustrísima.[139]

[137] **a sus . . . ventarrón** the doors, closing behind him as though blown shut by a violent blast of wind.

[138] **Saltillo** *The capital of the State of Coahuila in northern Mexico.*

[139] **su Señoría Ilustrísima** His Excellency.

—¡Admirable!

—Y te prevengo que estoy resuelta a defenderme.

—Con lo que me has dicho basta.

—Te prevengo que si a mí me faltan razones para contestar tus argumentos, el señor Obispo está dispuesto a discutir contigo.

—¡Que basta,[140] he dicho! —gritó papá.

—Ahora es preciso que me acompañes a visitarlo. Me ha concedido la gracia de una audiencia para que acordemos definitivamente la educación de la familia.

Una chispa eléctrica no es más instantánea para prender un cartucho de dinamita. Negra la cara, bajo una ola de sangre, extraviados los ojos, la voz ronca y tartajosa, cual si las palabras fueran moldes demasiado estrechos para contener su cólera impetuosa, dijo frases sin coherencia ni sentido. Agustinita explicó más tarde que él quiso decir que jamás toleraría intrusos en el seno del hogar. Pero ella se salió con la suya.[141] Parece que le respondió que donde el dinero no sale de los pantalones, no son los pantalones los que mandan. Y como, en efecto, todo el capital es de mamá, el resultado de la disputa fue decisivo. Un tremendo puñetazo hundió la cortina del escritorio. Luego, como ahora, terror, caras de agonizantes, portazos y silencio.

Data de esa fecha el desprendimiento de Procopio de nosotros. Jamás ha vuelto a ocuparse de nuestra educación y parece que todo su cariño de padre lo ha reconcentrado en un solo ser: adora a Lulú.

Y esto explicará por qué la benevolencia casi conmiserativa con que a Francisco José y a mí nos trata, lejos de acercarnos a él, nos mantiene siempre a distancia; y también disculpa nuestra decidida predilección por Agustinita.

Desde entonces creció la afición de Procopio por la soledad y por los libros. Hasta qué punto las lecturas de papá hayan influído en el manejo de nuestros intereses, cosa es que mucho nos ha dado en qué pensar. Pascual hizo una vez que mamá revisara los valores en caja[142] e hiciera practicar un minucioso reconocimiento de libros de contabilidad. Con sorpresa se vio que los rendimientos excedían un cincuenta por ciento de lo recabado normalmente por el general Prado, mi abuelo. Pero ¿en dónde estaba aquel sobrante? Sigilosa información levantada por el mismo Pascual descubrió que en gastos generales se iba todo. "No hay peón —dijo— que no tenga un débito

[140] **Que basta** That's enough.
[141] **se . . . suya** came out with an unexpected remark.
[142] **valores en caja** valuables usually kept in the safe.

superior a lo que, trabajando toda su vida al servicio de la casa, podría pagar. Los mayordomos disfrutan de sueldos superiores a los de cualquier administrador de las fincas vecinas: tienen casa propia y más comodidades que cualquier empleado de alta categoría en la ciudad. Los medieros poseen gallinas, chivos, cerdos y todo lo que quieren tener. Parece que los propósitos de Procopio son los de hacerlos partícipes, sin que ellos mismos se den cuenta, de las ganancias generales de la finca y sin perjuicio alguno de sus sueldos. ¿Adónde conducen estas quijoterías si no es a la ruina del propietario?

—Todo es verdad —le respondió mamá—, pero nada puedo decirle porque los libros de su contabilidad están siempre a mi disposición lo mismo que la caja fuerte y nunca, ni en tiempo de papá, dispuse de mayores cantidades que ahora.

¿El matrimonio de mis progenitores fue de amor? Yo sorprendí[143] una vez estas palabras en boca de Agustinita: "Mi padre, el general Prado, era un hombre rudo, pero de noble corazón. Cuando Procopio, por el fallecimiento de su padre don Albino, quedó huérfano, lo hizo venir de los Estados Unidos en donde se estaba educando y lo puso inmediatamente al frente de la hacienda. Pocos meses después supo captarse de tal manera las simpatías de papá que se le dio entrada en la casa no como a cualquiera de los empleados, sino como a un miembro de la propia familia. Era un buen mozo, atento, respetuoso siempre y que me comía con los ojos. No me caía del todo mal, ¡claro! Nos entendimos. Luego vino la catástrofe, la muerte que nos arrebató a papá. Antes de cumplir mi luto ya le daba yo mi mano al joven administrador de nuestra hacienda. Cuando abrí los ojos, todo se había consumado. Procopio me resultaba un chico que no sabía hacerse ni el nudo de la corbata; gustaba de salir a la puerta de la casa en mangas de camisa y una vez se presentó con traje de calle en un baile de etiqueta, y acabó por ser mi sonrojo por su atolondramiento.[144] ¿Para eso lo habían enviado a educarse a San Luis, Missouri?"...

XV

Bien; después de esta escena, Procopio tomó una determinación:

—Acompáñame, Lulú...

[143] **Yo sorprendí** I overheard.

[144] **acabó . . . atolondramiento** he wound up by embarrassing me with his disconcerting ways.

Cuando ellos salían, entró Pascual. Procopio apenas le tendió su mano.

—Va frenético —dijo mamá al oído de mi cuñado.

Y le refirió punto por punto lo ocurrido.

—¿Y ustedes no se desayunan todavía? —preguntó él, temblando de indignación. No esperó la respuesta; voló al mercado y minutos después entraba con una bolsa repleta de comestibles ya condimentados debidamente. Agustinita no pudo contener su llanto. Francisco José se echó en sus brazos, y yo tuve que hacerme violencia para no besar sus pies en señal de gratitud. Acallamos nuestra hambre lo más urbanamente posible. Entonces él sacó muchos paquetes de papel moneda de los bolsillos; tanto papel que, al desparramarse como catarata sobre la mesa del comedor. Agustinita, asombrada, observó:

—¿Y si él se niega a firmar el pagaré?

—La palabra de usted es mi mejor pagaré.

—¡Eres sublime, Pascual! —exclamó Francisco José, llorando.

Pascual sonrió levemente:

—Pero no se negará. Con lo ocurrido, a estas horas se habrá puesto ya como una seda.[145]

En cuanto se retiró, nos arrojamos a devorar los manjares que sólo por educación y disciplina pudimos mantener intactos hasta aquel momento.

Cerca del mediodía, Procopio y Lulú regresaron risueños y parlanchines: ella con grandes manojos de flores en las manos, y él con los bolsillos reventando de billetes.

¡Portentosa penetración la de Pascual! Esa misma tarde y en su presencia, Procopio firmó los documentos del nuevo adeudo sin despegar los labios. Con todo, cuando mi cuñado nos dejó, hubo un largo silencio de expectación. Y hasta en la noche, cuando acabamos de cenar, Procopio preguntó:

—¿Cuánto suman esas cantidades entregadas por Pascual?

Mamá trajo muchos apuntes; se hicieron cuentas de capital e intereses, y Procopio comentó fríamente:

—Vendiendo la cadena de mi reloj ahora en San Ángel,[146] he traído la mitad del dinero que le debemos ya a Pascual.

—Lo que significa —respondió mamá— que con sólo vender alguna de nuestras casas de Zacatecas. . .

[145] **se . . . seda** he will have become as soft as silk (*that is*, as yielding as wax).

[146] **San Ángel** *A suburb south of the city. During much of the period covered by the first section of the novel it was in the hands of Zapatistas.*

—Bastaría y sobraría para cubrir ese adeudo si tuviéramos que pagarlo en el mismo papel moneda y si tú pudieras disponer ahora de un solo terrón de las propiedades.

—Pascual me ha asegurado, bajo su palabra de honor, que la cláusula relativa a la especie de moneda en que ha de hacerse el pago sólo es una fórmula que todo el comercio emplea y acepta.

—¡Bajo su palabra de honor! —repitió papá como un eco. Y sonrió amargamente.

Agustinita, temerosa seguramente de una nueva escena, optó por callar.

Un día tuvimos una visita extraña. Una dama gordiflona, pequeña, de ojos hundidos y nariz felina, llegó hasta el mismo comedor y, saludándonos con chocante familiaridad, se despojó de un estrambótico abrigo color de rata y largo hasta los talones. Luego tomó un asiento que nadie le había ofrecido, y dijo:

—No me llama la atención su sorpresa. Es natural que no se acuerden de mí. Hace doce años que salí de Zacatecas, justamente el tiempo que tengo de casada con Payito. ¿Ahora se acuerdan ustedes ya? Payito, un joven muy simpático de Zacatecas, en aquellos buenos tiempos nuestros, Agustinita.

Cruzó con desenvoltura una pierna sobre la otra, sacó cigarros y cerillos y se puso tranquilamente a fumar.

—Payito —continuó ahuecando mucho la voz— es uno de los abogados de más representación en el foro metropolitano. Sus relaciones son con la aristocracia. Es del Jockey Club[147] y consejero de algunos bancos. Ahora no tiene negocio porque, como ustedes saben, los millonarios han suspendido sus operaciones.

(Dice Archibaldo que en México hay dos epidemias: el tifo y la megalomanía.)

—Payito tiene bienes raíces. Somos dueños de algunas acciones mineras en Pachuca.[148] Tenemos seis automóviles. Pensamos irnos a vivir a La Habana o a los Estados Unidos porque ya la gente decente no puede vivir en México. ¿Ahora me han reconocido, verdad? ¿Lo han adivinado todo? Pues sí, yo soy Aurora Caloca de Tabardillo —prosiguió más animosa—. Usted y yo nos tuteábamos en el colegio, Agustinita.

[147] **Jockey Club** *A meeting place of the wealthy located in the downtown area.*
[148] **Pachuca** *A city 50 miles northwest of Mexico City.*

Imposible coger el hilo de la conversación de esta buena mujer. Y a veces me parece que nos está hablando en serio y a veces que nos toma el pelo.[149] De todos modos su charla me arrulla cuando comienza a devanar el árbol genealógico de su familia con más ramas que un huizache.

Y ella no pára:

—Por supuesto que de nuestra fortuna no disfrutamos ahora. No tenemos más recursos que los del diario en donde escribo la sección de damas. . . Lo mismo que a ustedes, todo nos lo han robado esos bandidos de Carranza. Si les digo que Payito y yo no tenemos ahora segunda camisa, no me lo creerán. . .

—¡Oh, sí, señora, eso salta a los ojos! —dijo Archibaldo al fin, no pudiendo contener seguro sus malsanos sentimientos.

Por fin la señora de Tabardillo pidió encarecidamente cincuenta pesos prestados que, otro día, a primera hora nos devolvería.

XVI

En efecto, volvió al otro día. No con el dinero, pero sí con una gran noticia:

—Los bandidos de Carranza están de viaje.[150] Los echan, no se van.[151] El general Villa y los ex-federales[152] en camino. Sí, Agustinita, antes de una semana nos habremos curado de esta roña. . .

Desbordante de alegría, mamá se precipitó dentro de la alcoba de Procopio y a remolque lo trajo a la sala.

Ahora comprendo por qué te obstinaste en no ir a presentarle tus respetos ni a Carranza ni a Obregón. ¡Música callada![153] Te lo perdono, por lo sano de tus intenciones; quisiste darme la dicha de una sorpresa.

Procopio nos miraba de hito en hito.

149 **nos toma el pelo** she's pulling our leg.

150 *Carranza's forces left the city during November 1914. Villa was approaching the city at the time.*

151 **Los echan, no se van.** They are throwing them out, they aren't going of their own accord.

152 **ex-federales** *Former supporters of Huerta who, she presumes, have joined Villa.*

153 **¡Música callada!** You kept that to yourself!

—Sí, todo lo sé por esta amiguita y paisana nuestra que voy a tener el gusto de presentarte.

—No comprendo. . .

—¡Ah! ¿No sabes que el general Villa con todos los federales viene a echar fuera de México a Carranza y a sus bandoleros? . . .

—¿Y a nosotros. . . qué nos va?[154] . . .

—¡Casi nada! Que entran aquí los federales y nosotros salimos derechito a Zacatecas.

Igual que la sonrisa de Procopio tiene la cualidad rara de prender en Agustinita como un áspid, cuando está más quieta y contenta, hay gestos y palabras de mamá que provocan la hilaridad de Procopio cuando más agrio está su humor.

—Nunca me imaginé que Villa se cogiera de la greña[155] con Carranza, sólo por el gusto de allanarnos el camino a Zacatecas.

Mamá levantó desdeñosamente los hombros, vino a sentarse al lado de nuestra paisana y no hizo más caso de Procopio. Y cuando la señora Tabardillo con lágrimas en los ojos le pidió otros cien pesos porque no tenían para desayunarse siquiera, no cien sino un fajo apretado de billetes se llevó en las manos.

—Me dirá usted, por supuesto, el día y la hora precisa en que entren a México las fuerzas del señor Villa.

El espíritu de Procopio es al de Lulú lo que el de Agustinita es al mío; sin embargo, jamás he podido comprender eso de "el señor Villa" en los labios de mamá.

Por la noche me despertaron extraños rumores. El vocerío de los trasnochadores, los gritos, las carcajadas, las insolencias y los disparos de los carrancistas borrachos no lograban ya despertarme; pero los rumores de aquellas horas eran diferentes: pasos sigilosos de multitudes en marcha; caballerías en sordo tropelío; automóviles que se detenían cortos momentos, se dejaban oír breves voces de mando, traqueteaba de nuevo el motor y el coche se alejaba a toda velocidad.

—La entrada de las fuerzas vencedoras —dijo la señora de Tabardillo en su obligada visita— va a ser un acontecimiento. Hay más entusiasmo que cuando entró Madero.[156]

—Yo quisiera concurrir —dijo mamá— y llevar flores para tirarles al paso, como dicen que se usa en México.

[154] **qué nos va?** what has that to do with us?
[155] **se . . . greña** would get into a hair-pulling fight.
[156] *Madero entered the city on June 7, 1913.*

—A estas horas hay quien ofrezca ya doscientos pesos por un solo balconcito en la Avenida Juárez;[157] pero yo puedo conseguírselos por el mismo dinero en la de Plateros[158] que es más elegante. Personalmente les compraré las flores; de aquí mismo voy a Xochimilco[159] porque en México no se encuentra ya ni a precio de oro.

Cien pesos para las flores y doscientos para alquilar el balcón salieron volando de la bolsita de mamá.

XVII

Pero de Dios está que en el mundo no haya dicha cabal, como dice Agustinita. La señora de Tabardillo que sale y Pascual y Berta que entran desaforados:

—Venimos a decirles adiós. Dentro de media hora salimos para Veracruz[160]. . . nos vamos con el Primer Jefe[161]. . .

—¿Quién es ése? . . .

—El señor Carranza. . .

"El señor Carranza" en boca de Pascual me hizo el mismo efecto que "el señor Villa" en boca de mamá.

—Pero ¿cómo es posible, Pascual —dijo mamá—, que ustedes hagan causa común con esos bandidos?

Pascual dijo que debido a las repetidas gestiones que había tenido que hacer para arbitrarnos fondos, se había hecho de algunas relaciones con muchos altos jefes del Constitucionalismo,[162] y que como en México se le había visto con ellos, estaba expuesto a ser víctima de Doroteo Arango, el troglodita.

—¿Quién es ese Arango?

—El bandido que ahora se hace pasar con el nombre de Francisco Villa.

157 **la Avenida Juárez** *A major downtown avenue.*

158 **Plateros** *The former name of a portion of the avenue now known as Francisco I. Madero. It had already acquired the latter designation at the time of the action of the novel.*

159 **Xochimilco** *A suburb famous for its flowers located about ten miles south of the city. It was in Zapata's hands during much of the Revolution.*

160 **Veracruz** *A major port on the Gulf of Mexico which was Carranza's headquarters from November 1914 to the fall of 1915.*

161 **Primer Jefe** *A title assumed by Carranza in the Plan of Guadalupe, March 26, 1914.*

162 **Constitucionalismo** *The party and program of Carranza.*

—Pues lo que yo sé es que el señor Villa viene dando garantías, devolviendo propiedades confiscadas y respetando a los sacerdotes y a la religión.

—Si triunfa Villa yo estaré de regreso dentro de dos semanas, en cuanto pasen las venganzas;[163] pero si triunfa Carranza pronto estaremos de vuelta y de todos modos nuestras influencias serán en favor de la familia.

Sacó muchos paquetes de papel moneda y, contados, los entregó a Agustinita.

—Aquí está esto. . . por si mi ausencia se prolongara. . .

—Que se extienda el recibo luego.[164]

—Ya saben que de ustedes no necesito documento alguno. Este dinero es mío y como mío lo es de ustedes.

Pero Agustinita no se deja ganar la delantera[165] en magnanimidad y pidió que en el acto mismo se le extendiera un documento por veinte mil pesos oro nacional.

Una sonrisa de sarcasmo plegó los labios de Procopio. Y cuando Pascual, pasmándonos con su previsión, sacó el pagaré ya escrito de su bolsa, Procopio le dijo:

—Eres un gran psicólogo. . .

Y firmó.

—Te advierto, lindita —dijo luego que se retiraron Berta y Pascual—, que con los documentos que le hemos extendido a Pascual, dado el estado presente de nuestros intereses, estamos al borde de un abismo.

La señora de Tabardillo, otro día, escribió a mamá una cartita para notificarle que al llegar a Xochimilco fue víctima de un accidente.

¡Pobrecita! Ni quien haya vuelto a tener noticias suyas. Cuando nos acordamos de ella, mamá nos hace rezar un Padre Nuestro y una Ave María por el eterno descanso de su alma.

Por lo demás, dado nuestro reciente luto por la intempestiva salida de Berta y de Pascual, no podríamos aceptar ya sus buenos servicios.

163 **en . . . venganzas** as soon as they get through wreaking vengeance.

164 **Que . . . luego.** I suppose a receipt should be made out to you [*Lit.:* put in writing] immediately.

165 **no . . . delantera** doesn't let anyone get ahead of her.

Gracias a la obstinación y buena suerte de Lulú, se nos permitió concurrir al desfile[166] a la Alameda entre la multitud para que nadie nos conociera.

—Francisco José —recomendó mamá—, se cogen de la mano muy apretados los tres, porque va a haber mucha bola.

¿Pero, ya en la calle, quiénes son Francisco José y César para poner coto a[167] los caprichos de Lulú?

La avenida Chapultepec[168] hormigueaba de gente desde muy temprano. Francisco José con mucho chic aspiraba el aire puro y el olor de la tierra mojada. Verde, blanco y rojo en largas tiras ondeaban sobre plateados cobertizos y minaretes de pizarra, techos de escamas metálicas. Como contagiadas de nuestra loca alegría mexicana, también ondeaban las banderas de los países extranjeros en sus legaciones y en las residencias lujosas de los diplomáticos.

La muchedumbre comenzó a obstruir el avance. Por las aceras se entreveraban con los oscuros trajes masculinos, las frescas muselinas, sedas, encajes y flores. El acento de regocijo repercutía en los numerosos extranjeros que concurrían al desfile. Y nos acordamos de que los americanos pagaron buenos sitios en El Paso, Tex., para presenciar cómodamente el ataque de Madero a Ciudad Juárez.[169]

—¡Qué nota tan triste para nuestro país! —comentó Francisco José.

—¡Y peor para ellos que se titulan mentores de pueblos! —respondió Archibaldo, que no supimos ni a qué hora se nos pegó.

XVIII

—César, ven —me llamó de pronto Francisco José, deteniéndose ante una ruinosa arquería.

—¿Arqueología? Prefiero seguir a Lulú aun con Archibaldo.

Y cuando volví los ojos en busca de Lulú y Archibaldo para incorporarme con ellos, habían desaparecido.

[166] **al desfile** *The review of the troops held jointly by Villa and Zapata in the capital, December 6, 1914.*

[167] **poner coto a** cope with.

[168] **La avenida Chapultepec** *A major east-west avenue south of the Paseo de la Reforma.*

[169] *The attack occurred May 8–10, 1911. Ciudad Juárez, Chihuahua, is across the Rio Grande from El Paso, Texas.*

—¡Lulú, Lulú se me ha perdido! —le dije.

—Déjalos en paz. . . lo mismo que a mí.

De pronto se oyeron lejanos toques de trompetas y tambores.

—¿Me esperas aquí? Yo quiero ir también a ver, Francisco José.

—Hasta la consumación de los siglos.

Y me lancé en medio de aquel mar embravecido. Sombreros y cabezas movedizas negreaban a la altura de mi nariz. Imposible ver más. Cerca de mí unos muchachos estaban trepados en un árbol; recordé que en mi niñez subí alguna vez a los mezquites a robarles sus huevos a las torcaces, y nunca me sucedió nada. Puse a prueba, pues, mis arrestos acrobáticos, pero con tan mala suerte que dejé la mitad de los pantalones entre unas marañas. No tuve tiempo de reflexionar en las nalgadas con que Agustinita me recibiría, porque me ensordecieron los toques marciales de las trompetas y el batir sonoro de los tambores. Adherido a un brazo del árbol, como lagartija, pude contemplar aquella inmensa multitud que venía como un brazo de mar llenando el camino. ¿Por qué aberración de mi espíritu sentí deseos vehementes de ser uno de aquellos indios requemados de ojos relucientes y blanca dentadura, de sombreros de soyate? ¿Qué tienen esas gentes así juntas de algo tan superior que me ha arrancado un viva clamoroso y espontáneo?

Fue un desfile lento, interminable. Pasan llevando con indolencia el fusil atravesado sobre la cabeza de la silla, laxos los brazos y las piernas, indiferentes, cual si el suceso les fuera ajeno del todo. Hay instantes en que casi los reconozco. ¿No es Zenón, por ejemplo, uno que monta un macho canelo que va medio dormido al extremo de un escuadrón? Me parece ver caras conocidas en todos los que van pasando. Bonifacio, el ordeñador, con su cara de eterna complacencia; señor Luis, el carretero, que me llevaba sobre sus rodillas a acarrear panojas en las heladas tardes de febrero, después de la cosecha; Petronilo, el viejo corcovado y zanquilargo, que, al atardecer, al regreso del ganado, me montaba en las ancas de las vacas; tío Crucito, el octogenario, en cuyos brazos me dormía oyéndolo contar el cuento del cerro encantado que se sustentaba en cuatro *tenamastes* de oro, que sólo ojos de los indios podían ver.

¿Y cómo es posible que esas gentes de tan buena índole, tan cariñosas, tan leales, tan sencillas y humildes, sean capaces de cometer los crímenes horrendos que Agustinita y Pascual les atribuyen?

—¡Archibaldo, Lulú, adivinen en dónde estoy!

Pero seguramente mis palabras se perdieron en la gritería de medio millón de voces: "¡Viva Francisco Villa! ¡Viva el general Ángeles![170] ¡Viva Emiliano Zapata!"

XIX

En la Ermita[171] encontré al imperturbable Francisco José y juntos nos echamos en el torrente humano. El entusiasmo del pueblo no tenía diques. Las gentes más serenas y ponderadas cedían al contagio: juro que mi hermano Francisco José gritó muchas veces: "¡Viva Francisco Villa! ¡Viva Emiliano Zapata!", por más que ahora se obstine en negarlo. Millares de manos se agitaban sin cesar en resonantes aplausos al paso de los escuadrones que comenzaron a pasar desde el mediodía y no acababan todavía al ponerse ya el sol.

Llegamos a casa en estado lastimoso: sin probar bocado e insolados.[172] Agustinita nos puso como Dios puso al perico.[173] Procopio nos defendió. Y luego que nos pusimos a comer referimos a papá lo que acabábamos de ver, sin omitir un punto ni una coma.

Después de una semana, Agustinita dijo:

—Es muy extraño que nadie nos traiga noticias de nuestra casa; he leído en los periódicos que ya están llegando trenes de Ciudad Juárez.

—Creo que pronto tendremos noticias fidedignas —respondió papá tranquilizándola—; ya le escribí al tenedor de libros para que se presente aquí a la mayor brevedad posible.

Pero como pasó la primera semana, pasaron otras dos. Y mamá se había puesto ya extremadamente inquieta cuando vino a visitarnos Pomposita, la señora que hace un año se encargaba en Zacatecas de la venta de la leche de nuestra ordeña.

—Me mortifica contarles lo que ha pasado; pero pueden estar seguros de que no les exagero nada de lo que ocurrió en Zacatecas. Pero es mejor que lo sepan. La noche del saqueo no dejaron títere

170 **General Felipe Ángeles** *A follower of Villa.*

171 **la Ermita** *Likely "la Ermita" in Churubusco Park in southeastern Mexico City near Calzada Tlalpan, the main route from Xochimilco where Villa and Zapata had met and along which Zapata's troops came into the city for the review.*

172 **sin . . . insolados** without having had a bite to eat and suffering from exposure to the sun.

173 **nos . . . perico** "lashed out at us." *A colloquial figurative expression* (*Lit.:* reprimanded us the way God did the parrot.)

con cabeza. En la casa de ustedes unos generales dieron una gran cena. Daba tristeza ver otro día el reguero de plumas de sus pavos, garzas, pericos, guacamayas y demás aves finas de corral[174] que esos hombres se comieron.

Cuando aquella mujer se marchó, grité con todas mis fuerzas:

—Es mentira todo lo que Pomposa cuenta.

Francisco ratificó mis palabras; pero mamacita, anegada en llanto, no nos escuchaba.

—Recuerda, mamá —dijo Lulú—, que la Pomposa nos tiene mala voluntad desde el día que le quitaste el entrego de la leche.

Vano empeño; mamá comenzó a retorcerse en convulsiones. ¡El ataque! Papá no estaba en casa, Lulú es una buena para nada y Francisco José casi una Lulú. Me revestí de energía y corrí en busca de un facultativo. ¡Ay! Dos horas de recorrer las calles, de subir y bajar escaleras nomás para convencerme definitivamente de que en esta odiosa metrópoli nadie me toma en serio y de que nuestro nombre no tiene eco alguno.

A mi regreso ya Procopio prodigaba sus atenciones a mamá. Vino el médico y recetó píldoras y cucharadas. Cuando mamá se había calmado Procopio se sentó a su lado y le dijo:

—Tengo razones para creer que hay exageración cuando menos en lo que esa mujer te ha contado. Si hay bienes que tengan alguna probabilidad de ser algo respetados son los nuestros. Porque hay que ver las cosas como realmente son, lindita. Esta revolución es represalia de nuestros campesinos tan explotados y robados por sus patrones. Y bien, nadie en el Estado paga sueldos superiores a los que nosotros pagamos. Tenemos la mejor gente de trabajo porque en ninguna finca se proporcionan tantas ventajas a los jornaleros como las que nosotros les damos. El que una vez es mediero nuestro, lo sigue siendo. Hace dos años que la hacienda tiene iguala con médico y botica gratis para nuestra servidumbre. ¿Y piensas tú que esos hombres se conviertan en nuestros enemigos, por más que los servicios que hayan recibido de nosotros sean de la más estricta justicia?

—¡Serían unos monstruos de maldad!

Así pues, al gesto de escepticismo con que Agustinita oyó las primeras palabras de Procopio sucedió la esperanza y la alegría. Mamá pidió que se le refirieran muy pormenorizadamente los beneficios que la hacienda acostumbra hacer a los pobres.

[174] **aves finas de corral** the fine fowls kept in pens.

XX

Agustinita, sollozando, nos atrajo:

—Niños, he sido injusta con su padre. Perdónenme y Dios que me perdone también. ¡Ojalá y el bien que Procopio ha sabido hacer nos salve de la catástrofe!

Y se produjo un cambio muy brusco. Durante muchos días nuestros pesares no sólo fueron soportables, sino que llegamos a amarlos como a la pócima amarga que devuelve la salud. El dolor nos purificaba de viejos pecados. Agustinita nos repetía: "A él deberemos la salvación de nuestros intereses." Y Procopio crecía y se agigantaba a nuestros ojos. Ahora sus actos y sus maneras, que otras veces nos parecían tan vituperables, encontraban una justa explicación y hasta nuestra admiración sincera.

Procopio no desdeñó permanecer algunos minutos conversando con nosotros. ¿El cielo se apiadaba, por fin, de nuestro infortunio y bendecía nuestro hogar con la unión y la paz?

Yo observé, sin embargo, que mientras Agustinita no pensaba sino en la hacienda y el dinero, Francisco José en un nuevo poema y Lulú en Archibaldo, Procopio llevaba una máscara para engañarnos a todos. Con frecuencia lo sorprendí pensativo y ausente. Vi cómo cada día se ponía más pálido y más delgado. Se hizo muy descuidado en el vestir. Y él, que siempre dio pruebas de una gran serenidad de espíritu, ahora vacilaba para todo.

Una tarde el encanto se rompió en la forma más brutal. Un viejo vestido al uso de nuestra región llamó a la puerta. Su gran sombrero de palma cabía apenas,[175] su pantalonera de gamuza[176] trascendía a flor de huizache. Salimos a su encuentro y nos echamos en sus brazos. Era Victoriano, el más viejo y consentido de nuestros sirvientes. Estrechamos con efusión su mano callosa y nervuda; le hicimos tomar asiento y con ansiedad incontenible le preguntamos por nuestras cosas.

Papá mismo lo interrogó con serenidad y firmeza. El viejo suspiró ruidosamente, echó un salivazo al patio e hizo un solemne gesto de

[175] **Su . . . apenas.** His hat was so big that it would scarcely go through (*the door*).
[176] **pantalonera de gamuza** tight trousers of chamois (*with a row of buttons down the outside of each leg; of the sort worn by* **charros**).

fatalidad. Todos estábamos en silencio, pendientes de sus labios, de aquellas palabras que no podían salir. Al fin, dijo:

—Pos nada, amo. . . nada. . . que se metieron y que ya no dejan maíz ni pa las gallinas. Carros y carros no más hacen jilo pa la estación. . . No queda ni un animal ya en los potreros; con too han cargao pa los Estaos Uníos. . . La mina se acabó. . . Croque no pudieron desarmar las máquinas y de muina les metieron dinamita y. . . ¡vóytelas! . . . no más montones de fierros quedaron. Aistá la tierra no más, porque ni modo de cargar con ella. . .

Los ojos de Agustinita, como llamaradas, buscaban a Procopio. Pero Procopio, abatido, no levantaba para nada la cabeza. Él se encerró a piedra y cal en su escritorio.[177]

—¡Va muriéndose de aflicción —exclamó mamá con rara entereza—; pero no por cierto por las grandes pérdidas que hemos sufrido: eso no le importaba a él sino por el golpe mortal que ha sufrido su soberbia!

Francisco José, comprendiendo la intención de Agustinita, agregó:

—¡Claro! ¿Qué se va a pensar ahora de él, del "conocedor de nuestro pueblo y de la índole nobilísima de la raza y de las leyes de nuestro desenvolvimiento social y económico"?

XXI

—César —me dijo—, cuenta el dinero que Pascual nos ha dejado y hazme un cálculo aproximadamente de lo que nos puede durar.

Y derramó sobre la alfombra un canasto repleto de papel constitucionalista, que por la premura del tiempo habíamos apreciado por peso y no por cuenta. Fue una faena de toda la tarde, para poder decir por fin:

—Suponiendo que el alza de los artículos de primera necesidad alcance todavía un ciento por ciento, tendremos sobrado para seis meses. . .

¿Seis meses? No señor, veinticuatro horas. Archibaldo vino desquijarado y lívido con la noticia:

—Acaba de aparecer un decreto. Carranza anula su papel moneda.

Los ojos de Procopio ardieron sombríamente. Los demás nos

[177] **Él . . . escritorio.** He sealed himself up in his study.

miramos aterrados. ¿Qué palabras, ni qué lamentos, ni qué llantos habrían traducido el efecto de golpe tan inaudito? Agustinita se escurrió sin dejar oír ni el roce de su falda.[178] Por inercia la siguió Francisco José; luego, a una señal de Procopio, Lulú salió también. Sólo yo, gracias a mi insignificancia que me permite a menudo ser confundido con cualquier objeto de adorno o decorado, permanecí inmóvil en mi asiento y en un ángulo oscuro de la sala.

—¿Y ahora? —susurró Archibaldo.

—No sé. . . no sé. . .

Y los dos permanecieron con los ojos bajos y en silencio. La sonrisa de Procopio se había evaporado. Y Procopio sin su sonrisa lo mismo que Archibaldo sin su frivolidad no son Procopio ni Archibaldo.

Me sentía con ánimos de hablar o de salirme, cuando Archibaldo rompió el silencio:

—Usted es quien debe proveerlo todo, tío Procopio.

—Sí. . . sí. . . yo debo. . . y francamente no sé. . . nada se me ocurre. . .

—El asunto es de resolución inmediata —insistió Archibaldo.

—He perdido la facultad de pensar, de obrar. . . no tengo voluntad. . . Dime. . . aconséjame. . .

—Tengo ya mi proyecto; pero lo de usted es problema de hoy mismo.

—De hoy mismo, es verdad.

Se hizo silencio en un nuevo ensimismamiento de uno y otro. Hasta que de repente Procopio se puso en pie:

—Archibaldo. . .

Sus ojos ardieron intensamente. Y vi cómo esa luz iba a concentrarse en otra mucho más viva aún: la del diamante que cintilaba en uno de sus dedos. Luego la sonrisa volvió a aparecer en sus labios, y yo pude al fin respirar.

—Archibaldo, hazme un gran servicio. Vé a vender esto en seguida. . .

—¿El anillo del general don Ventura Prado?

Se cruzó una sonrisa entre ambos. Y me alegré de que Agustinita no los hubiese estado espiando.

—Bien, hemos encontrado la solución del momento. Ahora dime: ¿cuál es tu proyecto, Archibaldo?

[178] **se . . . falda** slipped out so quietly that there wasn't even the sound of the rustle of her skirt.

—Muy sencillo: ir a traer dinero de donde todo el mundo lo trae ahora.

—¿Soldado?

—¿Por qué no?

—Lo sentiría por tu dignidad. El cuartel es la escuela del abyecto perfecto.[179]

Archibaldo alzó los hombros con suprema indiferencia, cogió su sombrero y salió:

—Lo que ahora importa es vender esto. Hasta la tarde, tío Procopio.

Cuando papá se quedó solo, reparó bruscamente en mí, y muy encendido, no sé si de sorpresa, de cólera o de vergüenza, sin decirme una palabra, me tomó de una oreja y me puso en la recámara inmediata.

XXII

No es misión mía narrar acontecimientos históricos ni políticos; pero de tal manera los sucesos se encadenan con la marcha íntima de nuestra situación privada, que me veo precisado a tocarlos.[180] Luego que los zapatistas fueron expulsados de la capital por don Pablo González,[181] nuestras esperanzas en Carranza resultaron fallidas: Pascual no llegó con los carrancistas[182] como nosotros lo esperábamos; Carranza desconoció el papel moneda emitido por él, una segunda vez, y con el mismo descaro inaudito que tuvo para mandar robar los bancos.

Este largo período de gobiernos revolucionarios y el mismo preconstitucional[183] que nos aflige todavía han sido para nosotros un calvario doloroso. Gracias a las alhajitas de mamá y a que por ellas nos han dado dos canastos del último papel moneda emitido por el bandido de Cuatro Ciénegas,[184] vivimos todavía. Sin embargo, el

[179] **la . . . perfecto** the school for making men slavish and servile.

[180] **me . . . tocarlos** I feel obliged to mention them.

[181] **Pablo González** *A general in Carranza's forces who defeated the* **zapatistas** *and entered Mexico City, July 10, 1915. The city changed hands again on July 18, but after engagements on July 30–31, González re-entered the capital which thereafter remained in the hands of the* **carrancistas.**

[182] *Forces and followers of Carranza returned to the city following González's victory. It was several months before Carranza himself returned.*

[183] **el mismo preconstitucional** *also that of a lack of rule by law.*

[184] **bandido de Cuatro Ciénegas** *Carranza. He was born at Cuatro Ciénegas, Coahuila.*

miedo de amanecer un día con un nuevo decreto y el consiguiente despojo ha hecho que dejemos nuestro departamento de la calle de Arquitectos[185] y nos reduzcamos al humilde tugurio que ahora habitamos en este barrio pobre. En materia de alimentación se han introducido tantas economías, que puedo asegurar sin la menor exageración que los pordioseros que, en tiempos de gente honrada, acudían a las puertas de nuestra casa se alimentaban mejor con esas sobras, que nosotros ahora.

Después del último disgusto entre Procopio y Agustinita hay una simulación de tolerancia con visos de cordialidad. Mentira en el fondo: la cuerda está de tal manera tensa que tendrá que reventar.[186]

Agustinita es ya el todo en la casa.[187] Procopio hace comedia[188] con su calma. Su atontamiento y su apatía saltan a ojos vistas. No se ocupa más que de fumar cigarrillos y de leer los libracos que le presta el abarrotero de la esquina. Y todos estamos desolados de ver su pasmosa indiferencia ante nuestro horrible descenso a la misma mendicidad.

Lulú se ha puesto descolorida, delgada, fea en una palabra. Pero no tanto por nuestra penuria cuanto por la ausencia del tal Archibaldo. Dicen que milita en las filas de Zapata. ¡Dignísimo fin de tan bella persona!

Ayer, por la mañana, un repique bullicioso en la parroquia de los Ángeles despertó a Francisco José con los ojos llenos de lágrimas y desbordante el corazón de tristeza y amargura:

—¿César, hermano mío, has oído? ¡Las campanas de la tierruca! . . .

—Se parecen mucho —le respondí—. Apuesto a que has olvidado que hace veinticuatro horas llevamos puro aire[189] en el estómago. . .

—No he llegado al estado de imbecilidad suficiente para que el hambre me impida tremar a la voz de los bronces magníficos.

Aquel día podíamos dispensarnos de salir de nuestro lecho; pero la fuerza de la costumbre nos puso en pie a la hora regular.

Le dije a mamá:

[185] **calle de Arquitectos** *The text of Chapter III, Book II indicates that it was located in the San Rafael district just west of the downtown area.*

[186] **Mentira . . . reventar.** Actually it is fundamentally a false impression; things are so tense that something is bound to explode.

[187] **todo en la casa** head of the household.

[188] **Procopio hace comedia** Procopio's calmness is make-believe.

[189] **llevamos puro aire** we have nothing but air.

—Mamacita, ¿nos das permiso de salir a la calle?

—Ni ahora ni nunca. No hace un mes que un carrancista hizo tortilla[190] bajo las llantas de su automóvil a un pobre niño que jugaba en el bosque de Chapultepec.[191]

Yo le dirigí una mirada que quería decir: "¿Qué más da morir aplastado por un auto que consumido por el hambre?"[192]

(No debe llamar la atención la ecuanimidad materna, porque el hambre imprime profundas modificaciones en la manera de ser[193] de los individuos. Yo, por ejemplo, he perdido mucho mi timidez y soy un hipócrita perfecto.)

Confieso mi deseo de disputar de igual a igual[194] con Agustinita. Pero vino a sacarnos, de una situación que se ponía comprometida, la entrada gloriosa de Procopio con un cesto copeteado de bolillos y pambazos[195] y una jarra desbordante de leche.

Ocioso sería detallar la voracidad con que todo lo hicimos dessaparecer, sin esperar llegar al comedor siquiera.

Parece que Procopio recibió dinero de una manera algo extraña y misteriosa. La verdad es que él llegó de bellísimo humor y, cuando se enteró del motivo de la discusión, se puso resueltamente de mi parte:

—Sí, lindita, déjalo que salga. El general don Pablo González nos asegura todo género de garantías. Si lees la prensa verás que, en efecto, ahora ya nomás los generales, los coroneles, los mayores y los capitanes matan; nomás en las prisiones, en los cementerios, en las oficinas públicas, en los teatros, en los restoranes y particularmente en sus guaridas favoritas. . .

—¡Basta —interrumpió mamacita, indignada—; ya sé a qué casas te quieres referir y no es necesario que las designes por sus nombres aquí delante de los niños! ¡A qué estado de relajación hemos llegado! Pues bien, digo y repito que César vaya a paseo, porque César es un niño decente que nada tiene que hacer en esos centros de perdición. Que vaya y que Lulú le haga compañía.[196]

¿No he dicho que el hambre nos ha transformado?

[190] **hizo tortilla** mashed as flat as a tortilla.

[191] **Chapultepec** *The prominence at the western end of the Paseo de la Reforma on which Maximilian built his palace, now a museum.*

[192] **¿Qué . . . hambre?** Is it any worse to die mashed under the wheels of an automobile than to die of hunger?

[193] **la manera de ser** behavior.

[194] **de disputar . . . igual** to argue on equal terms.

[195] **pambazos** bread of the poor (*badly shaped and often hollow loaves*).

[196] **Que . . . compañía.** Let him go and have Lulú accompany him.

XXIII

Al extremo de la calle confluían en masas borrosas el ángulo verdinegro de la Alameda y las espaldas cuadradas del Teatro Nacional.[197] Caminábamos cogidos de la mano y en un silencio casi religioso. Teníamos miedo de ser tan felices. La sangre afluía por mis venas, me rehenchía de savia nueva; mis pulmones se dilataban para respirar el aire de la calle, el sol era caricia inefable para mi epidermis descolorida y casi apergaminada. Afluían a mi cerebro ideas, sentimientos e impresiones novísimas y desconcertantes.

—¡Ay, Lulú, qué bello es correr! . . .

—Pero ¿adónde me llevas así?

—¡Qué sé yo! . . . Deja que nuestros pies nos conduzcan. ¡Son ya tan raros estos momentos de felicidad!

—¡Lástima que no todos podamos estar de contentos como tú!

—¿Qué te falta ahora, Lulú?

—Papá. . . que sufre más que todos nosotros juntos.

—No será por tu culpa ni por la mía.

—¡Egoísta!

—Tú tienes tu punto de vista. . . el mismo de Procopio.

—Y tú el mismo de Agustinita. . .

—Mira, Lulú, no estoy para sensiblerías ni suspiritos ahora.

Una multitud abigarrada iba por la calle. Flores y verdura adornaban los trenes, los coches y los autos; hasta los mismos carros merdosos del pulque lucían flores de vivos colores en manojos de hojas verdes.

—Es la fiesta de Santa Anita[198] —me dijo Lulú—; por eso han repicado tanto en todos los templos.

—¿Repicar por una fiesta religiosa?, no lo creo. ¡No lo permitirían jamás los cocodrilos que nos gobiernan! Sin embargo, puede que así sea: estos tragacuras nunca tuvieron empacho en echarse de hocicos a los pies de cualquiera de esos hombres[199] a quien tanto aborrecen, si ése es el único camino para saciar sus apetitos brutos. Bastará con que alguno tenga una Lola[200] en su casa.

197 **Teatro Nacional** *The building was not completed until 1933; it is now known as Palacio de Bellas Artes.*

198 **la . . . Anita** *The festival on Friday before Holy Week associated with bringing flowers from Xochimilco to the city markets. The people made their way to the city along the Santa Anita River.*

199 **esos hombres** *that is, those men in power.*

200 **Lola** *A reference which may mean they were hypocritical enough to have in the house a representation of the Virgin of Dolores, sometimes called* **Lola** *by the humble people. Another interpretation is that* **Lola** *refers to a mistress.*

Media hora permanecimos en la Alameda oyendo caer el agua de una pileta, media hora en el hemiciclo de Juárez.[201]

—¡César —exclamó Lulú cuando entramos a la Plaza de la Constitución[202]—, el calvario de Viernes Santo![203]

—Es inaudito —respondí—. Repiques, flores y ahora el altar de la Pasión en el mero Zócalo.[204] Te juro que no comprendo.

Tomé su mano y nos encaminamos hacia el centro. La plaza había quedado convertida en arrasado solar donde a cada instante se levantaban borrascas de tierra que nublaban la misma Catedral.

—Lulú, el autor de este prodigioso monumento es general sin duda alguna; pero yo podría jurar que ayer fue sacristán. Observa que sólo a un técnico de sacristía pudo ocurrírsele este pastiche de la Pasión.[205] Sólo que en vez de la escalera, la cruz, las sábanas santas, los clavos y el gallo simbólicos, hay un trenecito descarrilado, unas minas voladas, un puente ardido y postes de telégrafo por los suelos. ¡Bellísimo! El autor se ha de haber dicho: "Prefiero la verdad al arte."

—Chitón —susurró alguien a mi lado, tirándome del saco.

Volví el rostro.

—Una espía. . . lo están oyendo. . .

Me volví del otro lado. Una vieja regordeta de cabeza cerdosa y blanca de puras canas,[206] de ojos saltones y miopes, hacía una especie de panegírico del Constitucionalismo y del Primer Jefe a cuatro o cinco idiotas que no sé qué estarían haciendo allí.

—¿Una heroína, émula de doña Leona Vicario, de doña Josefa Ortiz de Domínguez?[207] —pregunté al desconocido.

—Sí, una de las heroínas de hoy: ex-cocinera de la casa Rincón Gallardo[208] y ahora de la policía secreta de don Venus.[209]

Di las gracias al desconocido, y Lulú y yo más que de prisa nos alejamos rumbo al Sagrario.[210] Ya al frente de la Catedral un es-

[201] **hemiciclo de Juárez** *A memorial to Benito Juárez in the Alameda facing Avenida Juárez.*

[202] **la Plaza de la Constitución** *The official designation of the square in the heart of the city usually known as the Zócalo.*

[203] **el . . . Santo** *A representation of the Crucifixion.*

[204] **altar . . . Zócalo** *The* ***altar de la Pasión,*** *in the very heart of the Zócalo, an elaborate arrangement of sprouting wheat, fruit, herbs, and colored water in containers set up in homes on Friday of the week before Holy Week.*

[205] **pastiche de la Pasión** *An imitation of the* ***altar de la Pasión.***

[206] **cabeza . . . canas** head of pure white, bristly hair.

[207] **Leona Vicario; Josefa de Domínguez** *Heroines of the Wars of Independence.*

[208] **Rincón Gallardo** *Prominent family in the Díaz era.*

[209] **don Venus** *Carranza.*

[210] **el Sagrario** *The Metropolitan Sacristy next to the National Cathedral.*

trépito de caballería y toques agudos de clarín nos detuvieron. Apenas dimos un paso atrás para no ser arrollados. Un enorme automóvil pasó como relámpago.

—¡Él! —grité, ensordecida la voz por la emoción.

—Sí, es él —exclamó Lulú.

Los dos lo habíamos reconocido al instante: sus enormes anteojos negros, su nariz como mango de manila, sus barbas como resplandor de ixtle amarillento.[211]

Asomó por la ventanilla y sacó la mano de grifo[212] saludando con su sombrero tejano. ¿A quién? Nunca lo hemos logrado saber. En seguida, a todo galope un pelotón de caballería y un oficial a la cabeza, que gritaba con acento de babieca: "¡Viva el Primer Jefe!" Su grito se perdió en la glacial indiferencia ambiente. Busqué a la vieja de ojos saltones y cabeza blanca y pude responder sin temores:

—Enterado con satisfacción.

Como quien va huyendo, como quien se refugia de grave persecución, como quien escapa de inminente peligro, como quien furtivamente se mete en el hogar ajeno, así se coló barbas de ixtle por la gran puerta Mariana de Palacio.[213]

Las campanas de Catedral volteaban lentamente. Yo abría los ojos como idiota y miraba de todos lados. Y nada: ni los macizos venerables[214] de la Santa Iglesia Catedral, ni las frías canteras del Palacio de Cortés salieron de su somnolencia, ni las filigranas y encajes de cantera del Palacio Municipal[215] se ruborizaron siquiera. . .

Anoche tuve fiebre. Yo, Cagachitas,[216] perseguido por el Ogro de las botas de cien leguas.[217] Y el Ogro llevaba unas enormes narices de mango y unos feroces anteojos negros y unas barbas de ixtle inconmensurables. . .

Despertaron a mis gritos: "Ay. . . ay. . . el basilisco![218]. . ."

211 **sus enormes . . . amarillento** *Features by which they recognized Carranza.*

212 **mano de grifo** hand (*with long nails*) like that of a griffin (*a legendary animal*).

213 **la . . . Palacio** *The door of the National Palace on the east side of the Zócalo. It is named after General don Mariano Arista, Constitutional President 1851–1853, who ordered the door to be built in the place of a small window.*

214 **macizos venerables** ancient thick walls.

215 **el Palacio Municipal** *Located on the south side of the Zócalo.*

216 **Cagachitas** *A nickname applied to César implying ridicule.*

217 **botas de cien leguas** *A reference to the fairytale "Pulgarcito,"; in his delirium, César says one hundred league boots instead of seven.*

218 **basilisco** basilisk. *A legendary animal whose hissing would drive away other animals and whose look and breath were fatal.*

El triunfo de Procopio

I

A la margen de la avenida Chapultepec,[1] frente a una fachada arrogante, Berta traspuso la rejilla y ascendió los peldaños de mármol, posando con indolencia su fina mano sobre el barandal de bronce, esmaltado de bugambilias. Los repulidos estucos, las chapas de aromática madera de los muros y plafones, los vistosos azulejos, las ascuas policromas de una marquesina, despertaron sus ojos de rica de provincia, prendiendo en ellos un destello de alegría. Pero al pasar por el *hall* a uno de los salones, se detuvo atónita. Mármoles, bronces, porcelanas, tallas exquisitas, suntuosos tapices; profusión de formas armoniosas y cálidos colores, reproducidos al infinito por los gruesos cristales venecianos.

El contraste fue tan duro que, como del pedernal herido por el hierro,[2] del corazón de Berta brotó una chispa de protesta. Porque perduraba tras las imágenes la lenta y tediosa peregrinación de la corte venustiánica[3] en su recorrido triunfal de Veracruz a México.[4]

Masas humanas como densa niebla de harapos esperando en las aceras, desde las más altas horas de la madrugada,[5] un pedazo de pan duro, un puñado de frijoles o de maíz engusanado. Caras terrosas y demacradas escondiendo su dolor como se esconde una vergüenza; cabelleras revueltas, rostros airados, miradas angustiosas, bocas maldicientes.[6] Proletarios reventando de dinero carrancista, medio muertos de hambre; la clase media condenada a una doble tortura, en íntimo contacto con la plebe vil y canalla, a quien nunca le fue mejor

[1] **la avenida Chapultepec** *See previous note 168.*
[2] **como . . . hierro** like a spark struck from flint by iron.
[3] **corte venustiánica** Carranza's entourage.
[4] *The second part of the book occurs during an indefinite period of time following Carranza's return to the city, several months after his forces under General Pablo González had defeated the* **zapatistas** *during July, 1915.*
[5] **más . . . madrugada** very earliest hours in the morning.
[6] **bocas maldicientes** cursing mouths.

ni peor, y que ahora, ensoberbecida, le escupía en la cara su insolente baba.[7]

Pero Berta, cristiana rica, razonó: "Este lujo, por lo demás, no tiene que ver con la miseria de allá afuera."

Pero cuando, después de una hora de éxtasis, sintió que todo dormía en torno, que el ambiente frío, el silencio y la soledad soplaban un hálito de panteón sobre su rostro, y sobre sus ojos claros, de suyo tan inexpresivos, descendió un velo de melancolía, revelando una vieja pena.

Ahogando un suspiro se dejaba caer en un diván, a tiempo que la campana del teléfono comenzó a repiquetear.

Acudió al instante. A las primeras palabras su semblante se transfiguró: "Sí, Pascual, aquí estoy ya. . . ¡bellísimo! . . . Es un palacio, sí. . . No, nunca me lo imaginé siquiera. . . Sí, contentísima, si no me faltara lo mejor. . . ¿Cómo quién? . . . Sí, sin ti todo lo encuentro desabrido, no sé cómo explicarte. . . ¿De veras vienes? . . . Sí, ven con quien tú quieras; pero ven ya ¡por Dios! . . . Sí, ¿por qué te lo habría de negar? Tus ministros, tus generales, todos esos nuevos amigos tuyos tienen la culpa y por eso los aborrezco. . . No, no te digo más; pero cuidadito con engañarme ahora otra vez. . ."

Se abrieron las pesadas colgaduras de la habitación contigua y, ceremoniosamente, un criado anunció a la señora de Tabardillo:

—¿Señora de qué? . . . No conozco yo a esa gente. . . Diga que no recibo a nadie.

Berta, llena de alegría, fue al comedor a dar órdenes. El lacayo se presentó de nuevo. La de Tabardillo insistía en ser recibida; traía noticias de la familia de Berta.

—¡Ah, de los míos; entonces que éntre en seguida!

Berta misma salió a recibirla, muy interesada. Sofocada, la de Tabardillo se dejó caer en un sillón que medio desfondaron sus vastas posaderas,[8] y reposó breves momentos. Dilató la nariz y su boca; sus pulmones se abrieron en una tremenda inspiración, cual si quisieren no absorber sólo el aire, sino los muebles, tapices, bóvedas y pavimentos, todas las riquezas de la gran residencia que sus ojos absortos no se cansaban de contemplar.

[7] **ensoberbecida . . . baba** all puffed up with pride, spat insolently in their faces (*that is, the faces of the people of the middle class*).

[8] **medio . . . posaderas** the seat of which was half broken out by the weight of her vast posterior.

La realidad, en efecto, sobrepujaba a las suposiciones y conjeturas que se había hecho al leer en *El Demócrata*[9] la noticia de que Pascual, oficial mayor de un ministerio, acababa de encargarse provisionalmente del mismo.

La mentalidad de la Tabardillo no difería un punto de la media metropolitana. La fiebre de riqueza es endémica; ¿quién podría escapar al contagio? Las improvisaciones de fortuna asaltando los caminos reales pasaron al dominio de la leyenda; pero si Porfirio Díaz no dejó caminos reales, dejó el cuartel y la oficina pública;[10] y no hubo adepto de Villa, de Zapata o de Carranza que no supiera para lo que *aquello* servía. El secreto de los ricos del porfirismo[11] fue divulgado brutalmente por los hombres de la revolución, en su provecho.

—¿Y mamacita? ¿Y mis hermanos? . . . ¡Tengo la gran pena de no haberlos visto todavía, y tenemos ya una semana en México![12] Pero Pascual está abrumado de trabajo y yo soy muy inútil.

—Pascual altísimo empleado del gobierno, Berta. Vengo a felicitarla por ese triunfo tan hermoso como merecido.

—Ha tenido la suerte de caerle bien al señor Carranza.

—Este lujo me lo dice todo. Su casa es un palacio. . . Y todavía podrán llegar más alto si quieren. Pascual es un joven, muy inteligente a quien sólo le falta un buen consejero, una persona que conozca bien a México. ¡No se imagina usted qué honrado y caballero es Payito, mi marido! Si usted quisiera decirle a Pascual una palabra favorable. . .

—En esos asuntos, señora, no tomo yo nunca parte.

—¿Referencias de Payito? Los bancos, la industria, el comercio, petróleos, ferrocarriles. . . La verdad es que no son destinos los que le faltan. . .

—¿Qué me dice usted, pues, de mi familia? Estoy muy impaciente. . .

—Tiene razón, querida amiga. . . sólo que. . . es decir, por el momento. . . no puedo. . .

—¿Oh, qué quiere usted decirme? . . . ¿Qué misterio la detiene? . . .

—No es eso, Berta, digo. . .

[9] ***El Demócrata*** *A newspaper of Mexico City which supported Carranza.*
[10] *Díaz had successfully suppressed brigandage on the highways but allowed his followers in the army and in public office to use their positions to accumulate wealth.*
[11] **porfirismo** *Policies and points of view of Porfirio Díaz's followers.*
[12] **México** *Mexico City. See previous note 34.*

—Usted me oculta algo. . . ¡Dios mío! . . .

—La verdad es que desde que dejé de ver a ustedes en su casa de Arquitectos. . .

—Ha pasado algo muy grave que usted no se atreve a revelarme. Lo comprendo. Alguien ha muerto, lo presiento. . .

—Se engaña con sus propios temores. La verdad es que yo no los he vuelto a ver desde que dejaron la colonia de San Rafael.

—¿Entonces qué busca usted, pues, aquí? ¿Por qué se presenta prometiendo noticias de mi familia?

—Calma, Berta, calma. El portero me informó que usted no tenía noticia alguna de su familia y yo simplemente me he ofrecido para buscarlos. Estoy en condiciones excepcionales para poder informar de cualquier persona residente en México. No se asombre usted, Payito es el jefe de una agencia de informaciones privadas. ¡Una gran compañía norteamericana! Le voy a demostrar cómo yo, Aurora Caloca de Tabardillo, conozco México al derecho y al revés. Mire usted, estos muebles que estamos ocupando pertenecieron a los salones del rico acuadalado español don Íñigo Noriega.[13] ¿Miento? Esos tibores japoneses, esos tapices de Persia y esas porcelanas de Sevres decoraron la residencia del ministro Limantour.[14] ¿Miento? . . . ¡Oh, no me ponga usted tamaña cara! . . .

La voz apagada de Berta, su rostro descompuesto, cortaron bruscamente la catalogación apenas comenzada.

—¡Jesucristo! ¿Pues en quiénes tenemos cifradas ahora nuestras esperanzas, si no es en Pascual? Payito, por ejemplo, secretario particular de su esposo, y yo. . . pues yo me contentaría hasta con una clase en el Conservatorio. Óigame y júzgueme.

La de Tabardillo se puso al piano, y por ámbitos silentes de la casa estallaron los primeros compases del cuarteto de *Rigoleto*.

Plomiza, trémula de ira, Berta se mordía los labios.

—¿Qué cara es ésa, niña? . . . ¡Bah, eres una niña de veras todavía! Mira, Pascual es un hombre inteligente, listo, sabe su negocio; la fortuna ha llamado a sus puertas y él se las abre sencillamente. En lo demás no hay que fijarse.

—Me dice usted palabras que él me ha dicho muchas veces. ¿Cómo sabe usted eso?

—¡Ja, ja, ja! Tan claro como este sol que entra por la ventana. Sólo un idiota no haría lo mismo.

[13] **Íñigo Noriega** *A Spaniard associated with the Díaz régime.*
[14] **Limantour** *Minister of Finance under Díaz.*

—Me da usted miedo. Me repite sus mismas palabras.

Media hora más tarde la señora de Tabardillo se hacía confiar la misión de buscar a la familia Vázquez Prado, llevándose tres hidalgos con tal maña, que era Berta la que tenía que darle las gracias.

II

Un coche se detuvo bruscamente. "Es él", pensó Berta y, ansiosa, corrió a la ventana. Dos siluetas se desprendieron del carruaje y siguieron a pie, lentamente, a la sombra de los árboles.

Berta cerró bruscamente y tornó al salón oprimiéndose su pecho. El rubor de sus mejillas se había extinguido, las líneas de su suave perfil estaban quebradas y sus ojos arrasados. Habló con las mudas estatuas y las inmóviles pinturas. "¿Qué estoy haciendo yo aquí? Ésta no es mi casa, nada de lo que hay aquí fue nunca mío. Pascual, ¿qué hacemos aquí aún? Vámonos a Zacatecas; vámonos a nuestra casa. Vamos a que me devuelvas lo único que te pedí en cambio de mi mano: ¡tu corazón! . . ."

Berta dejó de llorar. Sus sentidos se prendieron al audífono. La inminencia de la eterna disculpa: "Berta, no voy a comer; el general B, el señor Ministro J, mi distinguido colega N, me invitan a comer ahora. Sería una falta imperdonable." Y siempre ellos, los mismos: los sombreros tejanos aborrecidos, los odiosos pantalones abombados, las polainas de vaqueta cruda; toda la resaca[15] abominable que arteramente se fue apoderando de Pascual desde el malhadado viaje a Veracruz.

El automóvil de Pascual se detuvo afuera, se oyeron en seguida voces masculinas en la escalera. Como creaciones de un cerebro enfermizo, arrojó de sí dudas y sospechas, temores y recriminaciones. Salió al encuentro de su marido:

—Estoy muy contenta, vamos a tener pronto noticias de mamá. ¿Te acuerdas de una señora de Tabardillo?

Y mientras ella refería menudamente su entrevista, el general Corvarrubias, invitado de Pascual, recorría con mirada fría, casi indiferente, los ámbitos del salón.

—Vámonos pronto al comedor —interrumpióla Pascual—; sólo el general nos acompaña; don Ulpiano viene nomás al café.

Pascual y el general hablaron mucho de política y finanzas, con-

[15] **resaca** debris washed up on the shore; *a reference to the hangers-on of the Carranza régime.*

versación de logogrifos[16] para Berta. Pero a ella le bastaba la proximidad de Pascual. Hubo, sin embargo, un momento en que ciertas frases atrajeron su atención.

—Todo nuestro proyecto es un castillo de naipes, sin la firma del viejo —dijo el general Covarrubias, pasando sobre ella una mirada rapidísima.

—La firma de don Ulpiano la obtendremos, cueste lo que cueste —repuso Pascual con resonancia metálica.

Y una y otra frase se repitieron en el cerebro de Berta con extraña obstinación. ¿Acaso por el silencio prolongado que les sucedió? ¿Acaso porque Pascual también puso en ella una mirada rápida e intensa? Pascual, a diferencia de Procopio, no era de esos hombres que todo lo consultan con su mujer. ¿Qué tenía, pues, ella que ver con aquello?

Si los amigos nuevos de Pascual le pesaban a Berta como los eslabones de una cadena de presidiario, don Ulpiano Pío le hacía el efecto de una catapulta. ¡Si Pascual supiera! ¿Pues no se había atrevido el vejete idiota e insolente a hacerle el amor? A ella, ¡Jesucristo!, ¡ una mujer casada!

Cuando don Ulpiano Pío se presentó como falderillo de circo, Berta se irguió con altivez. Ardía su frente; su faz entre flores, frutos y cristales era una triste faz de pajarito enfermo.

—Puntual como siempre. . . puntual como un reloj descompuesto. ¡Ji, ji, ji. . . ! . . . Berta, a los pies de usted. . . Un poco pálida, pero de todos modos ¡divina! . . .

Se chupó los labios y resonó su carcajada de la más solemne estupidez.

Pascual tuvo un gesto duro para Berta que se levantó al instante, sin responder a la galantería del vejete.

A los setenta años, don Ulpiano Pío seguía siendo el hombre de la naturaleza de Juan Jacobo,[17] cuando menos en la multiplicación de la especie. *La Sirena, Pulques Finos y Curados,* y sus cuarenta sucursales debidamente distribuidas por barrios y poblachos del Distrito Federal eran otras tantas dehesas, que no haremes, donde aviado se vería quien pretendiese desenredar la madeja de la paternidad de los últimos vástagos de la servidumbre.[18] Porque con igual derecho los

[16] **conversación de logogrifos** just a lot of words.

[17] **Juan Jacobo** *the man not bound by conventions, such as Jean Jacques Rousseau (1712–1778), French philosopher and writer.*

[18] **eran . . . servidumbre** were so many other breeding farms, if not harems, where anyone who should try to unravel the tangled skein of paternity of the latest offspring of the servants would have a difficult chore.

hijos podrían llamársele de sus padres, que de sus hermanos, sobrinos, tíos o de su mismo abuelo don Ulpiano Pío, el gran semental de la vacada.[19]

Pero Berta, ajada por el perenne dolor, sólo podría ser incentivo a las bizarrerías de un sátiro de setenta años. El día que el general Covarrubias se lo presentó: "Aquí tiene usted al hombre que ríe", ella se dijo: "No es el hombre que ríe, sino el cerdo que gruñe", con la penetración ordinaria de su sexo. Momentos después comprendió que no se había equivocado.

Servido el café, comenzó una larga y misteriosa conferencia en voces muy bajas. Misteriosa para ellos nomás. Desolados los campos, exhaustas las arcas públicas, robados los bancos, desaparecida del mercado hasta la más vil moneda de bronce, los *hombres nuevos* en un arranque de genio, el único que en su gloriosa carrera tuviese el carrancismo, descubrieron el huevo de Colón.[20] El militar, que ya tenía bien hundida las uñas en los centros de producción, dueño de toda clase de vehículos, concibió la idea de hacerse *comerciante*. Se renovó el milagro: no saltó el agua cristalina de las rocas ni llovió del cielo maná de todos sabores; pero el sudor del pobre, las lágrimas y el hambre de la viuda, del huérfano, del valetudinario, se convirtieron en río de oro que iría a vaciarse en el tonel de las Danaides:[21] la codicia del comerciante y la rapacidad del militar, reyes supremos del *bilimbique*.[22]

La maldad carrancista, babeante de estupidez en su apoteosis. La obra de la revolución hecha añicos. Con los *bilimbiques,* las pocas actividades honestas que aún jadeaban en el país quedaron a merced del militar-comerciante.

No parecía sino que la maldición de Luis Cabrera,[23] cerebro del carrancismo: *Desgraciados aquellos que en una lágrima o en una gota de sangre sólo ven el oro en que pueden convertirlas,* fuera el escupitajo lanzado al cielo, que habría de bañar el rostro de toda la pandilla.

[19] **el . . . vacada** the great progenitor of the whole herd.

[20] **el huevo de Colón** *Christopher Columbus's egg (by which he is supposed to have demonstrated the feasibility of his plan).*

[21] **Danaides** *Mythological daughters of Daneus who murdered their husbands and were condemned to Hades to lift water forever into casks with sieves.*

[22] **bilimbiques** *The term derives, according to one version, from the name of William Weeks, paymaster of an hacienda in Durango. The employees called the scrip they received* **bilimbiques,** *a mispronunciation of his name. When the paymaster used Villa's paper money after it was issued, the name was transferred to those bills, and the label passed into general use.* ("Mexico's Weird Monetary Muddle." Magazine Section, *New York Times*, August 1, 1915).

[23] **Luis Cabrera** *A writer and publicist who supported Carranza.*

III

Dos días después la de Tabardillo se hizo anunciar. Anhelante, Berta salió a recibirla:

—¡Por fin! . . . ¿Qué ha sabido usted?

—¡Vea qué maravilla de pendientes! Rubíes, esmeraldas y el gran brillante del centro. Fíjese en la montadura. ¡Qué aguas, qué filigrana! ¿Verdad? Por supuesto que sobran los interesados y pujan las ofertas; pero yo me las compondré para que usted se quede con ellos.

—No me interesa eso, señora. Pascual me ha comprado bastantes joyas desde que estuvimos en Veracruz.

—Usted no me las ha enseñado. Tengo pasión por las alhajas. . .

—¿Qué ha sabido usted, pues, de mi familia?

—Casi los tengo en la mano. Una poquita de calma y ya verá. Mañana tal vez lo sepa todo. Pero ¡por Dios! Berta, no deje esta oportunidad. Quinientos pesos nada más. Y son quinientos pesos que en cuanto circule la plata se triplicarán seguramente. Si lo prefiere, me bastaría una tarjeta de usted para Pascual. Yo me encargo de cobrar.

—Jamás hago yo nada sin consultarlo con mi esposo.

—¿Habló usted, Berta, de mi recomendación a Pascual, como lo habíamos convenido?

—Le he dado una comisión que le pagaré; ése es todo nuestro convenio —repuso Berta con energía.

—¡Qué nervios, Jesucristo! Mañana que esté aquí mamacita, me hablará usted de otro modo. Es una lástima que no se quede con esta alhaja, Berta, . . . y a propósito, enséñeme usted, pues, sus alhajas.

Bajo la extraña fascinación de la mujer, presa de un malestar inexplicable, Berta la llevó en seguida a su alcoba y le mostró sus joyas, para abreviar la impertinente visita.

Ya el sol oblicuo teñía de rosa el *hall* opalescente cuando la vieja, sucio y borroso mochuelo, lo atravesó. Descendió la blanca escalinata, y ya al poner su mano en la reja del jardín, se detuvo bruscamente en la puerta un Ford.

Por hábito, la de Tabardillo retrocedió con rapidez y se ocultó detrás de unas azáleas. Era un viejo de largo y sudoso levitón de bordes raídos. Comidas las suelas y los tacones de unas botas sin lustre.[24] Bajo un fieltro color de tabaco asomaban unos ralos mecho-

[24] **Comidas . . . lustre.** The heels and soles of his unpolished shoes were worn out. **Botas** *here refers to old-fashioned, ankle-high, buttoned shoes.*

nes teñidos de cosmético, en masas tiesas. Sus agudos ojillos cogieron al instante el bulto que se le escabullía.

—¡Eh! . . . oiga usted. . . la que se esconde. . . Suba en seguida mi tarjeta. . .

—¿Usted aquí? —preguntó la de Tabardillo muy sorprendida, saliendo de su escondite.

—¿Y usted? . . . ¿Queso tenemos?[25] . . . Usted no es rata que se duerme. . .

—Ya hablaremos. . .

Entretanto el portero se había acercado:

—No está la señora.

—Lo sé. Anúncieme de todos modos —gangoreó el viejo con insolencia.

El portero se alejó hacia el interior de la casa. Durante algunos minutos don Ulpiano y la de Tabardillo permanecieron mirándose y sonriendo con picardía; pero sin pronunciar una palabra. Hasta que un criado gritó desde el vestíbulo con descortesía:

—Que la señora no recibe a nadie. . .

La de Tabardillo se llevó las manos a la boca para contener la carcajada:

—¿Ya ve cómo sin mí no sirve usted para maldita la cosa?[26] . . . ¡Ja, ja, ja. . .!

—Vamos afuera.

Salieron y los dos subieron en el auto rumbo al bosque de Chapultepec.

Pasó una semana. Berta, medio incorporada en su lecho, llamó. Una doncella se presentó en seguida con la ropa blanca.

—¿Tampoco anoche pudo dormir?

Berta no respondió. El agua de colonia, pasando por su cuello y por sus miembros en fricciones vigorosas, le devolvía poco a poco su lucidez:

—Corra las persianas. . .

—Una señora está esperándola a usted —dijo la doncella comenzando a vestirla.

El eterno fastidio. Gentes desconocidas pidiendo recomendaciones a todas horas.

—Parece que es la persona a quien usted está esperando.

[25] **¿Queso tenemos?** What bait do we have here?
[26] **no . . . cosa?** you don't amount to a damned thing?

Los pensamientos confusos de Berta y sus embrollados recuerdos comenzaron a coordinarse, a precisarse. Agustinita, Procopio, César, Francisco José y la timadora. . . la de Tabardillo que le había estafado cinco hidalgos más, la última semana.

—Viene por dinero. Hágale entrar, pues.

Ahora estaba resuelta a cortarle su juego. Aun a mandarla a una comisaría si era preciso.

—¡Albricias, que ahora ya lo sé todo! Tengo ya su domicilio y si usted quiere iremos a verlos inmediatamente.

La de Tabardillo se había colado bruscamente dentro de la alcoba.

—Deles una sorpresa, Berta. No sospechan siquiera que ustedes estén en México.

Indecisa, Berta no sabía por cuál actitud decidirse.

—Pero ¿no me engaña otra vez? . . . Dígame, ¿en dónde viven? . . .

—Yo mismo la acompañaría, si no hubiera salido de casa sin desayunar.

—Venga usted al comedor. Luego iremos.

Berta la tomó de la mano y la condujo a la mesa, a la vez que daba órdenes para que pusieran el auto al instante.

—¿Es verdad lo que me cuenta?

—No se imagina el trabajo que me ha dado encontrarlos. La portera de Arquitectos me negó toda noticia. Comisarías, gendarmes, policías secretos: puerta cerrada. Hasta que Payito me dijo: "Toma esta varita de virtud que todas te las abrirá." Así fue: dinero por aquí, dinero por allí, dinero por todas partes. . . ¡una barbaridad! Pero no importa: todo fue por alcanzar lo que deseábamos.

—Y todo se le pagará a usted. . . pero su favor sólo con mi gratitud. . .

—¡Calle. . . qué me dice usted! ¿Qué mejor pago que la amistad con que ustedes nos honran?

Y mientras Berta apenas toca con sus labios el borde del vaso de leche, la de Tabardillo engulle cuanto manjar se pone a su alcance, sin dejar un instante de ponderar a Payito.

Cuando Berta la deja para ir a cambiarse de ropa, la de Tabardillo limpia la mesa.

—¡Muy bien! —clama eructando de satisfacción—. Ha hecho muy bien en vestir modestamente. Su familia no está en bonanza y se sentirían humillados si. . .

Berta, al descender el último peldaño, a la viva luz del sol, se puso pálida; sintió que sus piernas se le doblaban y habría caído seguramente si la de Tabardillo no la sostiene presto entre sus brazos. Casi en peso[27] la condujo al coche.

—Por el jardín de los Ángeles —ordenó enfáticamente al chofer.

—Usted no es feliz, Berta. Usted sufre.

—¡Oh, sí, mucho más de lo que nadie se imagina!

—Pascual la hace sufrir. . .

Berta se conturbó profundamente. Los ojos de la lechuza se clavaron en los suyos.

—¿Cómo sabe usted? . . . ¿Quién le ha dicho? . . .

—Hay cosas que se adivinan, Berta.

Secretamente, Berta hizo la señal de la cruz, pensando: "Para esta mujer nada hay oculto ni en mi cerebro ni en mi corazón."

—Me da miedo, señora. . .

—Pero la verdad es que Pascual ha sabido colocarla en una posición superior. . . envidiable. . . No sólo le ha dado todas las comodidades que por su rango usted puede exigirle; sino el lujo y la pompa de un verdadero millonario. ¿Qué más puede pedirle?

—Lo único que me pertenece: su corazón. . .

—¡Ja, ja, ja . . . ! ¿Luna de miel de cinco años y en esta revolución? ¡Qué gracia tiene usted, Berta!

—¿De qué me sirve el dinero si me roba su alma?

—Comprenda, niña, que Pascual vive en un mundo donde no son las buenas costumbres la mejor recomendación para llegar. . .

—¿Qué me significan gloria, honor, riqueza, si he de llevar aquí dentro de mi pecho un cadáver? ¡Mi vida es mi vida! —gimió Berta con vehemencia y sacudida por un espasmo de dolor.

—Bien. ¿Y si las penas de usted fueran sin fundamento alguno?

—No comprendo. . .

—Despiértele el amor propio. Vamos:[28] póngalo celoso. . .

"Esta mujer es el demonio", pensó Berta santiguándose de nuevo.

—Usted se ha *dejado* un poquito ahora,[29] pero queriendo. . . Es hermosa, elegante. . . Pascual tiene muchos amigos y más de alguno habrá. . .

—¡Basta! . . .

—Quizás a estas horas algún viejo millonario la adore con locura. . .

—Cállese. Comprenda que está hablando con una mujer honrada.

—¡Ja, ja, ja! . . . ¿Pues que ha creído que voy a proponerle, Berta?

[27] **Casi en peso** Bearing almost her (*Berta's*) whole weight.
[28] **Vamos** See here.
[29] **Usted . . . ahora** You have let yourself go a little now.

¡Cuando digo que tiene una imaginación tremenda! . . . ¡Se trata de hacerle una comedia nada más!

—Ni en comedia soy yo capaz de esas cosas. Cállese ya.

—Una comedia nomás para despertar a Pascual de su modorra, linda. Si él abre los ojos, si las sospechas lo hacen pedir explicaciones, si se imagina, si llega hasta a provocar una escena, ¡magnífico! . . . ¿Qué más seguridades podría tener de él?

—Me tienta como el mismo demonio. . .

—¡Pobre niña! Ahora lo comprendo todo: Pascual no ha sabido siquiera despertar la mujer que en usted duerme.

A la voz de la de Tabardillo, al torcer bruscamente por la plazuela de los Ángeles, el auto se detuvo.

—¡Berta, mamacita! —gritó Lulú tras los vidrios empañados de la ventanuca, muy sorprendida.

Todos se precipitaron al zaguán a recibirla.

IV

Sus rostros se apartaron encendidos y húmedos.

—¿No sabías nada, pues? —gimió Agustinita.

—¿Por quién, madre mía?

—¡Mi pobre César! Fue el mismo día que entró a México don Venustiano,[30] ese hombre funesto. . . Del Zócalo[31] regresó a morirse.

Agustinita comenzó la relación minuciosa de la enfermedad de César, pero como la de Tabardillo no sentía gana alguna de llorar, ni formaba parte de su programa del día aquel número, los interrumpió:

—Mi más sentido pésame pues, y al mismo tiempo mis felicitaciones porque ya los he reunido a todos.

—Gracias, señora, mi automóvil la llevará a su casa. Deme su dirección para enviarle un obsequio y el valor de los pendientes.

—Descuide usted eso, Berta. Yo iré a verla mañana.

—¿Y ustedes nada sabían de nuestro regreso a México? —preguntó Berta, cuando Agustinita dio fin a su interminable relación.

—Ni una palabra. . .

—¿Entonces no saben ustedes que Pascual ocupa un alto puesto en el gobierno del señor Carranza?

[30] **entró . . . Venustiano** *Carranza's entrance into Mexico City in April 1916.*
[31] **Zócalo** *See previous note 202.*

—Hasta ahora que nos lo dices.

—Pero si en los periódicos casi a diario sale su retrato o entrevistas y declaraciones suyas.

—Hace algún tiempo que esa partida desapareció de nuestro presupuesto —añadió sonriendo Procopio.

De una rápida mirada, Berta recorrió las paredes de la salita y el mobiliario: tres sillas sin respaldo, otra con el fondo de mimbres abiertos en abanico; un tablón sostenido por una vieja caja de empaque que servía de mesa.

—¡Esto es inicuo, madrecita de mi alma! Nosotros en la opulencia y ustedes en la. . .

La palabra se detuvo en sus labios quemándole la lengua:

—Vamos a casa en el acto. Pascual lo sabrá todo.

—¿Crees que con su influencia se nos devolverán nuestras propiedades? —preguntó Agustinita trémula.

—Todo: es uno de los ramos que dependen directamente de él.

—¿Bienes intervenidos?[32]

—Sí, papá; gana lo que quiere ganar. No se imaginan ustedes. . .

En la faz demacrada de Procopio brilló una sonrisa trágica. Lulú estuvo a punto de llorar.

—No perdamos tiempo. Mamacita, ve a vestirte, y tú también Lulú.

—Yo no puedo, Berta; tengo que atender a papá.

—El auto te traerá antes de una hora. ¡Tantos deseos que tengo de hablar con ustedes! Ya verás qué primor de casa, Lulú.

—Otro día será, Berta —repuso Lulú con voz apagada.

—Entra y ponte otra ropa —ordenó secamente Agustinita.

La otra ropa no era menos haraposa, todas estaban iguales, sino más limpia.

Cuando el coche regresó de dejar a la de Tabardillo, ya Agustinita y Berta lo esperaban con impaciencia. Agustinita dejó de pronto de hablar, arrebatada por su imaginación ardiente en los proyectos más fantásticos. La reconstrucción de sus fincas; Pascual administrándolo todo y poniendo al servicio de la casa sus valiosísimas influencias oficiales. ¡Pobre de Procopio! Su inhabilidad, su falta de tino, desde mucho tiempo antes lo tenían recluido en el sitio que siempre debió haber ocupado en casa.

A Berta le hostigaba entretanto la idea de su derrumbamiento irremisible. "¿Por qué me ha hablado esa mujer del viejo millonario

[32] **¿Bienes intervenidos?** Property confiscated temporarily?

enamorado locamente de mí? ¿Quién es ella? Yo no debo recibirla nunca más en casa.

Y Lulú, que también parecía muy abstraída, a la verdad nada pensaba.

Boquiabierta, Agustinita ascendió los peldaños de la residencia de su hija. Sus ojos se embelesaron en los vidrios de colores de la marquesina heridos vivamente por el sol, en las plantas del invernadero espaciadas entre gráciles estatuillas de mármol.

Lulú lo veía todo, admirada también. Sólo que en donde quiera encontraba un semblante de alucinado, una risa de poseso, unos labios blancos, apretados, secos: el retrato de Procopio en caricatura macabra. Y cerrando fuertemente los ojos para no llorar, pensó: "¡Ellos en la opulencia y nosotros en la miseria!"

Berta habló por teléfono:

—Sí, soy yo. . . te tengo una gran noticia. . . Hemos dado con ellos esta mañana. . . Aquí están ahora. Sí, mamá y Lulú. . . Sí, Lulú. . . ¿Qué dices? . . . ¿A ella? ¿A Lulú? . . . Se lo voy a decir. . . Seguramente; ¿por qué habría de rehusarse? Eso déjalo de mi cuenta[33]. . . ¡Qué gusto que vengas! . . . Adiosito. Lulú, Pascual quiere que nos acompañes a la mesa. Vendrá también el general Covarrubias.

—¡Oh, no! . . .

—Es un joven decente —protestó Agustinita.

—Prefiero acompañarte un día que comas sola.

—Ya le ofrecí a Pascual que nos acompañarías.

—Lulú, debes quedarte. Le debemos muchos favores a Pascual.

—Que sea otra vez, mamacita.

Lulú se acercó a su oído y le dijo:

—A ti no te invitan. ¿Aguantas el desaire?

Pero Agustinita levantó los hombros y repuso en alta voz:

—Te mando que te quedes. Yo regreso a preparar la comida para tu papá y para Francisco José. Tiempo de sobra voy a tener.[34] Y tú, Berta, no olvides hablarle a Pascual de nuestro asunto. No te imaginas con qué impaciencia voy a estar esperando tus noticias, con Lulú.

—Vé tranquila por eso, mamá. Ese asunto está terminado.

Agustinita encontró a Procopio leyendo.

—Pascual ocupa un puesto muy elevado en el gobierno —le dijo con emoción muy grave—. Su casa es un palacio; tiene criados de

[33] **Eso déjalo de mi cuenta.** Just leave that to me.
[34] **Tiempo . . . tener.** I am going to have more than enough time.

librea y su automóvil a la puerta. Me supongo que no acompañó a Berta a esta pocilga por delicadeza, por no humillarte.

Con suprema indiferencia, Procopio apartó el cigarro de sus labios, suspendió la lectura y habló pausado y tranquilo:

—El porvenir les pertenece ciertamente a los hombres como Pascual.

—Sin duda. Si él no lo mereciera por sus prendas intelectuales de primer orden, se lo merecería nomás por su fina educación y exquisito trato.

—¡Pasmoso acierto! —aplaudió Procopio, festivo y levantándose con ánimo las gafas por encima de las cejas—. La improvisación de una fortuna se realiza ahora por medios primitivos. Pero el porvenir, repito, es para hombres como Pascual. Por sus finas maneras y exquisita educación supo abrirse las puertas de nuestra casa el día que él lo quiso y sabrá abrirse cuantas puertas le hagan falta. Es eso justamente, su exquisita educación y sus finas maneras, lo único que lo diferencia de los otros bandidos.

Agustinita retrocedió, los cabellos de punta. Procopio, acentuando su ironía, prosiguió:

—El perfecto bandido ha de comenzar por ser un caballero perfecto.

Luego un silencio embarazoso.

—Parece que al fin se ha hecho una poca de justicia: el número de pícaros enriquecidos por la revolución excede ya al de los pícaros empobrecidos por ella. . .

Los ojos de Agustinita echaban chispas.

—La sociedad, quiero decir, la clase adinerada, la clase media, los intelectuales, se han mostrado un poco duros con los bandidos. A la verdad no precisamente porque sean bandidos, sino por sus procedimientos reñidos con[35] la tradición y las costumbres. El ladrón y el asesino de hoy no se sonroja de que se le llame por su nombre en el Congreso, en la prensa, en las reuniones públicas o privadas; lejos de ello hasta se sorprende de que con tan triviales calificativos pretendan mancillarlo. Porque en tiempo del general Díaz los ladrones y asesinos pertenecían a las clases privilegiadas: usaban guante blanco, se afeitaban a diario, sabían hacerse el nudo de la corbata y llevar la casaca y el sombrero alto; hablaban el castellano más puro y lo escribían irreprochablemente. A la sociedad no le indignan el robo y el asesinato, sino cuando el robo y el asesinato se cometen por gentes inferiores a su clase. Le abochornan el pelado de guarache,

[35] **procedimientos reñidos con** procedures not in accord with.

el de calzón blanco[36] y sombrero de soyate; pero se ufana de los entorchados.[37] Victoriano Huerta nunca logró para él un gesto como el delicioso de aquel grupo de damas de nuestra más alta aristocracia que engalanaron de flores el hospital de la Cruz Roja[38] y recibieron con estruendosos aplausos a dos insignes asesinos[39] que entraban a visitar a los heridos de la Ciudadela,[40] con las manos mojadas de sangre, de traición y de infamia. . . Y bien, Pascual es el precursor de los magnates de mañana. Los Pascuales de mañana podrán matar y robar impunemente. La Sociedad no los desdeñará en sus más exigentes círculos. La Sociedad clamará siempre por sus fueros. El porvenir es de los hombres como él.

La indignación de Agustinita le entumecía los maxilares, acalambraba su lengua, la inhabilitaba para responder.

Francisco José, como de costumbre, fue a refugiar su estética al *water closet*.

V

Por delante entró el vejete hablando a gritos y riendo a carcajadas. Hábito adquirido en sus pulquerías con sus dependientes y cofrades. Una sonrisa sempiterna remangaba su nariz rabona y su mentón empinado.

—¡Tiene trazas de porquerizo! —musitó Lulú con asco al oído de su hermana.

—Lo fue en su juventud —repuso Berta, sin volver los ojos.

Pascual presentó a Lulú al viejo y al general.

—Ya tenía el gusto de conocer a Lulú —dijo éste—. ¿Quién va a olvidar esos ojos habiéndolos visto una sola vez?

Lulú retiró sus dedos bruscamente aprisionados por las manazas del general Covarrubias. Volvió sus ojos con enojo y resentimiento hacia Berta que se empurpuró también.

36 **calzón blanco** pants of white cotton cloth (*worn by men of the rural districts*).

37 **los entorchados** those who wear gold braid.

38 *The President of the Red Cross, Alejandro Quijano, wrote to Azuela, August 22, 1940, that no such incident had occurred. Azuela replied, August 26, 1940, that an article in the issue of* ***El Imparcial*** *for July 7, 1913 would verify his account.* (*Azuela Papers* on loan to Beatrice Berler by Lic. Enrique Azuela.)

39 **dos insignes asesinos** *Manuel Mondragón and Félix Díaz,* ***porfiristas****, who plotted against Madero.* (Azuela to Quijano, August 26, 1940. *Azuela Papers.*)

40 *The bloody struggle accompanying the delivery of Félix Díaz and Bernardo Reyes from imprisonment in the Ciudadela, an old Spanish fort near the center of the city, brought on the "ten tragic days" leading to Madero's overthrow.*

—Muy simpática la niña —exclamó don Ulpiano saludándola y acariciándole una mejilla.

Puede hacer eso, sin agraviar a la sociedad, un sexagenario aunque a menudo esconda, tras de la máscara de un afecto paternal, cenizas calientes de lascivia senil.

Lulú hizo un gesto de horripilación al contacto de las manos del viejo, como si le hubieran puesto sobre sus carrillos el abdomen frío y viscoso de un sapo.

—Pepe Covarrubias era sólo capitán cuando te lo presenté, Lulú; pero ahora es general. . . y no de los de banqueta.[41] Se ha ganado su grado matándole mucha gente a Villa y a Zapata.

—Dos balazos en el pecho y este brazo tieso se los debo a la reacción —observó con modestia el general.

—Pues bendita sea la reacción que le permite a usted no sólo conservar sus propiedades, sino acrecentarlas seguramente —respondió zumbona Lulú.

El general se mordió los labios. Pero Lulú se echó a reír como si ella misma no se hubiese dado cuenta del alcance de sus palabras.

Luego Pascual ofreció copitas de coñac y al acercarse a Lulú le dijo a media voz:

—Es un partido que te conviene[42]. . .

Lulú fijó sus ojos en el general. Su cutis tostado por el sol costeño, sus bigotes rubios más crespos y enroscados que cuando era un simple capitán, sus piernas como resortes de acero bajo el ajustado pantalón de pana gris y las polainas de vaqueta amarilla, le daban un aspecto marcial acabado.

Distraída, dijo Lulú:

—También Archibaldo se hizo soldado. . . ¡Pst! . . .

—¿Tanto así nos detesta?

—¿Detestarlos? . . . No es ésa precisamente la palabra. . .

—Igual a tu padre, Lulú —la interrumpió Pascual—; siempre en las filas de la oposición.

—Si Lulú es la oposición, traiciono a Carranza —exclamó el general muy dichoso de su hallazgo.

—¡Hasta que por fin, hombre! —exclamó don Ulpiano Pío, dándose una palmada en la frente, cogiendo la frase sin entenderla—. Si eso es lo que deben hacer ustedes, abandonar a Carranza. Es lo que yo no me canso de pensar y que no me animaba a decirles. ¡Ustedes,

[41] **y . . . banqueta** and not just the desk type.
[42] **Es . . . conviene** He would be a good catch for you.

unos jóvenes decentes y de buena familia, en estas gavillas de bandidos!

Ni Pascual ni el general hacián caso del viejo, pendientes nomás de las pullas afiladas de Lulú.[43]

—Pues ¿qué opina del soldado su papá?

—Le he oído decir muchas veces que el cuartel es la escuela del abyecto perfecto, y que el soldado o tiene que ser lobo o tiene que ser carnero: de todos modos manada.

—A la mesa. . . a la mesa —cortó bruscamente Pascual, descontento del giro que tomaba la conversación.

Todos entraron en el comedor. Apenas se vació el primer vaso de vino, don Ulpiano gravemente comenzó su conferencia:

—Pues, señores: hay la doctrina Monroe, Carranza tiene su doctrina y yo también tengo la mía. . .

—Nos las sabemos de memoria, don Ulpiano —lo interrumpió con descortesía el general Covarrubias—. Hablemos mejor de los ojos de Lulú.

—¡Ja, ja, ja! . . . ¡Qué coraje les da a los carrancistas que uno les conozca su secreto! Es inútil que me lo nieguen; pero Carranza está comprometido con el presidente Wilson[44] a entregarle la nación sin un solo habitante, porque los yanquis quieren a México sin que les cueste ni una gota de sangre. Por eso cada soldado de Carranza tiene la obligación de matar diez mexicanos civiles; después de éstos, a los que quedamos vivos nos matan de hambre y sanseacabó. Aquí está la explicación de tanto robo, de tanto asesinato, de tan brutales contribuciones, del alza considerable de mercancía y de la vida imposible para toda la gente decente. Por supuesto que sólo a mí no me la han pegado nunca.[45] Yo me eduqué en los Estados Unidos y fui condiscípulo de Wilson. Una médium de New York me lo dijo esto hace más de veinte años; tal como ha sucedido. . . ¡Ja, ja, ja! . . . ¡Qué caras ponen![46] Les da mucho coraje que yo les adivine su secreto. . . ¡Cuidado! . . .

—¡Pero qué hombre tan bestia! —murmuró Lulú al oído de Berta.

Sin embargo, todo eso era tolerable; pero, a los postres, cuando el alcohol se les había montado ya a la cabeza y los caballeros quisieron expresar pedestremente sus emociones, se rompió bruscamente

[43] **pendientes . . . Lulú** being concerned only with Lulú's sharp repartee.
[44] **Wilson** *Woodrow Wilson, President of the United States, 1913–1921.*
[45] **que . . . nunca** as for me, none of that has concerned me.
[46] **¡Qué caras ponen!** My, what expressions you have on your faces!

la ficticia armonía. Indignada y sin disimulos, Lulú retiró bruscamente su asiento de la mesa, fulminando con sus ojos al general que se sopló y enrojeció como un jitomate.

Berta pretextó ir a traer un vino que Pascual había enviado esa mañana y, muy pálida, salió seguida de Lulú. Ellos se quedaron riendo a carcajadas.

—¿Qué le digo a mamá? —preguntó Lulú, apenas franquearon el dintel.

—¿Te vas, Lulú?

—Al momento.

—Es muy justo tu enojo, hermana. . . yo no pude imaginarme jamás esto. . .

—Anda con Pascual o me voy ya. . .

Angustiada, Berta volvió al comedor y llamó aparte a Pascual. La conferencia fue brevísima. Pascual regresó alegremente al comedor y Berta inconsolable le dijo a Lulú:

—Dile a mamá que es muy difícil arreglar eso que ella quiere. . .

—Lo comprendo todo. . . Adiós. . .

Anegada en llanto, Berta intentó retenerla.

—¡Oh, no te vayas así! . . .

—¿Qué quieres más de mí? . . .

—¡Ay, Lulú, me lo han cambiado! . . . ¡Él no era así!

Enternecida de repente, Lulú cogió a su hermana entre los brazos y la cubrió de besos:

—¡Pobrecita hermana mía! ¡Quien ha cambiado eres tú! . . . ¿Él? . . . ¡pst! . . . ¡Él es el de siempre! . . .

—¿Tú sabes? . . .

—Que hasta ahora comienzas a abrir los ojos. . .

—Pero, ¿tú has comprendido, Lulú? . . .

Berta había dejado de llorar y, erguida, miraba con asombro a Lulú.

—Comprendo lo que he comprendido siempre: lo que papá ha creído siempre de Pascual. . .

—¿Qué ha pensado de él? . . .

—¡Que es un miserable. . . y un canalla! . . .

—¡Lulú! . . .

—¡Pobre hermana mía! . . .

—Lulú, eso no es cierto. Pascual tiene un defecto. . . un defecto que sólo a mí me importa; pero es un caballero. . . Lulú, no te vayas, no me dejes con la palabra en la boca. . . Lulú, un momento, óyeme. . .

Los menudos pasos de Lulú descendiendo rápidamente la escalera fueron su respuesta.

Como una estatua de dolor, Berta la vio alejarse y desaparecer al fin en la lejanía de la calzada. Entonces acudió a su mente, como la última esperanza de salvación, el pensamiento abominable. Vio trazado su camino fatal y único. Espantada de sí misma, decidida, entró en la bodega, tomó unas botellas y luego regresó al comedor. Abrió la puerta, paseó su mirada incierta y alocada en torno, y en medio de la enorme sorpresa de los demás, tomó un asiento al lado de don Ulpiano Pío y dijo con serenidad tremenda:

—Pascual, sírveme vino.

VI

—¿Cuándo? —resolló don Ulpiano, ya tan cerca que sus cerdosos bigotes picaban los carrillos de Berta.

En un gesto de asco incontenible, que no de miedo, con una mano volcó su copa espumeante, mientras que con la otra contuvo al viejo.

En sus castos oídos zumbaron chocarrerías y obscenidades de taberna. Y tuvo miedo. La comedia rebasaba los límites a que ella hubiera querido limitarla.

"¡Madre mía del Socorro, ayúdame! . . . Sufro un justo castigo. He dado oído[47] a las voces del enemigo malo. . ."

El cielo se puso sordo de repente. Don Ulpiano Pío la asía fuertemente por sus exangües brazos.

—¡Pascual! —gimió ella.

Un gemido ahogado. Le tenía miedo a Pascual y se tenía miedo a sí misma.

Pero Pascual, envuelto en el humo gris de su puro, cerrados los ojos, dormía un sueño pesado de ebriedad.

Como culebra que se enroscara a su talle, sintió el brazo enjuto y correoso que la aprisionaba, que la ceñía, atrayéndola con fuerza cada vez mayor.

Fuera de sí, volvió sus ojos implorantes hacia el general.

Éste le devolvió una mirada lasciva e impúdica. Porque el general Covarrubias, hijo de familia decente, rico fronterizo, revolucionario por defender sus intereses, como sus congéneres, no difería moralmente de cualquier otra de las basuras levantadas por la revolución

[47] **He dado oído** I have listened.

de los estercoleros de la Bolsa y Santa Julia,[48] por ejemplo. Su psicología era igual a la de cualquier matachín ratero, que en la revolución vio el rico filón que podía hacer que sus hazañas, en vez de terminar en las Islas Marías,[49] tuviesen su merecida corona en alguno de los Ministerios, en el Senado, en alguna representación en el extranjero o cuando menos en la Cámara de Diputados. Su nombre sonó, más que en los campos de lucha, en los garitos y en los lupanares: nombre amasado con sangre de víctimas inermes; pero celebridad más que suficiente para llegar ante los sabios y previsores ojos del C.[50] Primer Jefe, que sabía distinguir y premiar tan ricas prendas con los mejores puestos de su gobierno.

Fue obra de un instante. Flotaron en el aire sedas y gasas, y los hilos castaños de una cabellera deshecha. Una hilera blanca y aguzada de marfil postizo hincó sus filos en los labios lívidos y secos. Berta apenas pudo contener un grito. Como una libélula arrebatada por dos mochuelos desapareció del comedor en brazos de los rufianes.

Pero al sentirse en su blando lecho, como un resorte que de pronto se distiende, escapó de los miembros que la atenaceaban. El viejo rodó de hocicos sobre la alfombra y en los mofletes de zagalejo del general tronó una seca bofetada.

Cuando éste, repuesto de la sorpresa, quiso tomar la revancha por su sola cuenta, dos puntas de acero agudas y brillantes lo contuvieron devolviéndole su perfecta lucidez.

Erguida, transfigurada, Berta, en mitad de la alcoba, esperaba la agresión con su diestra tendida y crispados sus dedos sobre los ojos de unas tijeras abiertas, relampagueantes.

Todo ocurrió en el más discreto silencio. Cuando Pascual despertó de su pesado sueño con una sonrisa de beatitud en los labios, exclamó:

—Parece que le hicimos debidamente los honores a este vinillo. . . ¿no fue así? . . .

Desperezándose, sacó su reloj, se incorporó y clamó sorprendido:

—¡Las cinco! . . . Señores, perdónenme, tengo asuntos muy importantes en el Ministerio. . .

Graves como gallos de pelea derrotados, el general y don Ulpiano se mantenían a distancia de la mesa, sin chistar.

48 **la Bolsa y Santa Julia** *See previous note 85.*

49 **las Islas Marías** *Mexico's penal isles in the Pacific, about 80 miles off the coast of the State of Nayarit.*

50 **C. = Ciudadano.**

—Yo también tengo qué hacer —dijo al fin el viejo, calándose hasta las orejas el grasiento fieltro gris. Y dando gruñidos salió.

En su alcoba, de rodillas ante la imagen de Nuestra Señora de los Remedios,[51] Berta oyó la estentórea carcajada del general y sintió algo muy extraño de repente en la cabeza y en el pecho y comenzó a reír también, a la vez que un temblor invencible sacudía todo su cuerpo. Su risa, mal contenida al principio, fue creciendo en intensidad hasta acabar en agudas carcajadas. Una sirviente acudió muy alarmada:

—¿Qué le pasa a usted, señora? . . .

Berta no pudo responder. La muchacha cogió un pomo de alcohol de menta y lo vació sobre el cuerpo helado, friccionándolo vigorosamente de los pies a la nuca.

Poco a poco Berta entró en sosiego[52]: su respiración fue más libre y, al fin en su lecho recalentado, se quedó profundamente dormida.

Cuando abrió los ojos, al amanecer del día siguiente, sintió como un peso de plomo que le oprimía las sienes.

—¿En dónde estoy? ¿Qué hora es?

—Las cinco. . .

Azorada de oír aquella voz fresca y juvenil a los pies de su cama, se incorporó de un salto:

—¿Quién es? . . . ¿Qué hace usted allí?

—Aquí dormí en la alfombra. . . por si me hubiese necesitado, señora.

—¡Ah, sí! . . . Gracias. . .

"¡Qué vergüenza —pensó— que los criados mismos me hayan visto así! . . . ¿Qué crimen he cometido, Señor, para que me castigues de esta manera?"

—Un vaso de agua —pidió inconsciente, obedeciendo a una necesidad física imperiosa.

Cuando la doncella vino con el agua le puso en sus manos una carta:

—El señor dejó esto para usted, anoche.

—¿Una carta? . . . Abra en seguida la ventana.

[51] **Nuestra Señora de los Remedios** *A venerated image of the Virgin brought to Mexico by a companion of Cortés. First raised in place of a pagan image in a temple where the National Cathedral now stands, it was placed in 1575 in a shrine especially constructed for it in Totoltepec near the town of Tacuba where it has remained.*

[52] **entró en sosiego** calmed down.

"Espérame al oscurecer. Tenemos que hablar de algo muy serio", leyó Berta, y su corazón dio un vuelco:

—¡Muy bien! . . .

Todos sus penas se borraron al instante. "¡Dio resultado!"

VII

Luego que oyó la voz de Pascual no pudo contenerse; casi se desvaneció. Sin un instante más de sosiego, cuando sonó el timbre y se oyeron los pasos pausados de Pascual subiendo la escalera, sus brazos se deslizaron inertes y su cuello se doblegó. Instantes de angustia infinita. Pascual puso su sombrero y su bastón en un perchero, se encaminó lentamente hacia ella, tomó una butaca y la acercó al diván donde ella reposaba.

Él, tan dueño de sí siempre,[53] ahora vacilaba, dudaba; no sabía seguramente por dónde ni cómo comenzar. Berta sintió una mezcla de compasión profunda y de muy rara alegría. ¡Santa locura la suya que así le devolvía la vida, la verdadera vida: su esposo!

—Berta —habló Pascual al fin.

—¿Qué dices? . . .

—Digo que has estado amable con él. . . tal vez demasiado amable. . .

El deleite que la tortura de Pascual le causaba era tan exquisito que sintió su piel achinada en una ola de delicioso calosfrío.[54]

—Respóndeme, Berta. ¿Por qué callas?

Si Pascual llorara, una lágrima siquiera, nomás una lágrima, ella olvidaría para siempre los torrentes de lágrimas que él la había hecho derramar.

Como un vago fantasma lunar se incorporó en la luz indecisa de la alcoba. Se puso en pie:

—¿Cómo te atreves a vituperar mi conducta, tú que me tienes abandonada semanas y meses enteros? ¿Qué significo, pues, para ti?

Pascual, humillado, bajó los ojos.

—¿Soy para ti sólo una cosa? ¿Tú no más tienes derecho a vivir tu vida?

Pascual levantó sus ojos sorprendido. Una ráfaga de luz los iluminó intensamente.

[53] **tan . . . siempre** always in such command of himself.

[54] **sintió . . . calosfrío** felt a wave of delicious chill pass over her yellowish skin. (***achinada*** *like that of a Chinese person.*)

Y Berta, cuyas energías se extinguen ya, hace un esfuerzo poderoso para concluir:

—¿Me pide cuenta de mis acciones el que por su vida disipada es hoy el escándalo de México? ¿Pues no que eres tan inteligente? ¡Yo también quiero vivir! En mí existe una mujer que tú, ¡pobre de ti!, no has sabido siquiera despertar. . .

Los ojos de Pascual se abren atónitos.

Y ella, horrorizada de sí misma, oculta entre sus manos como tallos secos su rostro enjuto y descolorido, y se deja caer de nuevo. Pascual, sin salir de su estupor, clava en ella una mirada penetrante. Y cuando vuelto en sí cree haberlo adivinado todo, pronuncía con lentitud y gravedad:

—Berta, ahora sí podemos hablar claro.

Berta abre los ojos. La lágrima no brilla aún en los ojos de Pascual; pero ¿para qué prolongar su sufrimiento si ella ha adquirido ya el pleno convencimiento de su inocencia o cuando menos de su arrepentimiento absoluto? En un movimiento de violenta impulsión se levanta y se arroja a sus pies, le coge las rodillas, las oprime amorosamente entre sus brazos, las besa y exclama:

—¡Pascual, perdóname! . . .

—¡Bah, tontuela, levántate! . . . Ven a mis brazos, que yo soy quien debe solicitar tu perdón. Yo que, en los años que tengo de vivir contigo, no vislumbré jamás esa mujer que en ti dormía. ¡Qué bella lección! Berta, te confieso que te creí de la especie inferior de los de tu casa. Tú eras el obstáculo único para nuestro triunfo verdadero, definitivo. Un solo rato de mal humor del viejo Carranza y nos quedamos en la calle. Es preciso asegurar una situación que no dependa de otros y por cualquier medio que sea. Estos bienes que ahora poseemos los recobran sus antiguos dueños con una firma de don Venustiano. Pero el negocio que ahora vamos a emprender es distinto. Un negocio meramente comercial de millón y medio de pesos. Pero para el que es de absoluta necesidad la firma de un comerciante ajeno a[55] la revolución. . . Y ese hombre lo hemos encontrado en don Ulpiano Pío. . . Es de una testarudez inaudita; pero me ha enseñado su punto vulnerable y con eso es nuestro ya, ¿comprendes? . . . Tu obstinación me tenía desesperado. . . Pero ahora. . . ¡ven a mis brazos! . . . Un consejo nomás. Pero soy un mentecato. ¿Qué consejos vas a necesitar tú de mí? . . .

Henchido de satisfacción, sin reparar en el efecto de sus palabras, Pascual se levantó, cogió su caña y su sombrero, se miró en el cristal

[55] **ajeno a** not connected with.

y arregló cuidadosamente el nudo de su corbata, compuso los cabellos rebeldes que danzaban en su frente, tarareando un *fox*.[56] Ya fuera, como asaltado por un remordimiento, giró con rapidez sobre sus talones y, corriendo de puntillas, llegó de nuevo a Berta y sobre su cuello blanco imprimió castamente un beso.

Cuando ella pudo abrir los ojos, agitó sus manos inciertas, buscando el sitio preciso donde el áspid le había picado. Bamboleante se incorporó y se acercó al lavabo; empapó su pañuelo en agua fría y lo puso sobre su nuca ardiente.

En vano. La ponzoña iba ya muy adentro. Pero ahora ni un sollozo, ni una lágrima. Sólo frío: un frío que no era el del ambiente silencioso y lúgubre de su estancia, sino otro como de hierro que se le había entrado hasta lo más hondo del alma.

VIII

Un criado muy tirante puso en manos de la de Tabardillo cinco hidalgos y le dijo groseramente:

—Y no vuelva más por aquí. La señora ha prohibido hasta que la anunciemos a usted.

Una mañana, de regreso de la misa del Sagrado Corazón de Jesús,[57] Berta, al bajar de su auto, fue asaltada:

—Dispénseme la manera tan poco comedida;[58] pero como tiene unos criados tan tontos y tan groseros, sólo así podría yo hablarle.

Aprovechando el momento de sorpresa y debilidad de Berta, la de Tabardillo se pegó a su falda y entró con ella en la casa.

—Hace tres días que solicito hablarle, y siempre me la niegan.

—¿Se le debe a usted algo todavía? —respondió Berta.

Como mariposa que dejara sus alas para volver a ser crisálida, Berta salió de su magnífico abrigo de pieles forrado de seda e irguió su cabeza con altivez inaudita ante la de Tabardillo.

—La encuentro muy cambiada, Bertita. ¿Qué araña le ha picado?

—¡Basta! No le permito que me hable así. . . Comprenda que no somos iguales. Usted quiere dinero, más dinero todavía; hable pues y no perdamos tiempo.

—Comenzaré por recordarle la recomendación que me ofreció para colocar debidamente a Payito.

[56] **tarareando un *fox*** humming the tune of a foxtrot.
[57] **la misa . . . Jesús** *In Mexico usually the Mass on the first Friday of the month.*
[58] **la . . . comedida** the rather discourteous approach.

—Jamás recomiendo yo a gentes que no conozco.

—¡Ajá! . . . ¿Esto quiere decir que toda ha terminado entonces entre nosotros?

—¡Ahí está la puerta! . . .

—¿Y si antes quisiera yo decirle dos palabras que lograran ablandarle el corazón o cuando menos apagarle el mal humor?

—Salga de aquí. . .

—¿Si yo contase lo que pasó aquí hace pocos días entre usted y los amigos de su marido? . . .

—No le permito familiaridades ningunas conmigo. Salga de aquí.

—Comprenda que yo podría hacer revelaciones.

—¿Revelaciones de qué? . . . ¿Revelaciones a quién? . . . Si todos ustedes son unos miserables, si todos son unos canallas. . . ¿Qué me importa entonces lo que ustedes digan?

"He errado el golpe",[59] pensó confusa la de Tabardillo.

Berta, cruzadas sus manos sobre la cara, contenía el torrente de lágrimas y gemidos aglomerados en tantos días y meses de abandono y desolación. Pero no pudo más: se dejó caer en el sillón y lloró mucho.

—Tráigale usted una taza de tila—dijo la vieja con desplante al criado que se presentó.

Cuando Berta un tanto desahogada se incorporó, sorprendida de ver todavía allí cerca de ella a la mujer, exclamó:

—¿Qué hace aquí? ¿Espera, pues, a que llame a mis criados para que la echen fuera como a un perro? . . .

—¡Oh, señora, no he querido irme sin su perdón! ¡Soy una miserable! No he sabido advinar a la esposa honesta y santa. Todo lo que yo he hecho con usted es criminal, lo comprendo. Envíeme a presidio, lo merezco y más todavía; pero ¡por Dios del cielo, deme antes su perdón, deme su benedición, porque mi mayor castigo será saber que me odia! ¡Yo le juro que la maldición de usted me dolería mucho más que muchos años de cárcel! ¡Perdón! ¡Perdón!

—Levántese. Déjeme en paz.

Berta retrocedió, pero la de Tabardillo, arrastrándose de rodillas por la alfombra la seguía, se abrazaba de sus piernas, besaba la orla de su falda, le cogía ardientemente las manos y se las besaba con frenesí.

—Prométame no volver nunca a mi casa.

—Lo juro —clamó la Tabardillo, irguiéndose con un gran gesto trágico.

[59] **He errado el golpe.** I have missed the mark.

Cual capuchina compungida y cabizbaja,[60] las manos fuertemente apretadas sobre el pecho, la de Tabardillo salió haciendo genuflexiones hasta al mismo jardinero.

Muchas horas más tarde fue cuando Berta se dio cuenta de que los cajones de un pequeño escritorio estaban abiertos y de que sus alhajas habían desaparecido para siempre, como la de Tabardillo.

IX

Un golpe seco, la puerta se abre a un brusco empellón y se perfila una silueta.

—¡Es Pascual! —gritó Agustinita, embargada la voz—. ¿No decías que jamás vendría, Lulú?

—¡Pascual! —repitió Francisco José, tremando de alegría.

Lulú no chistó; tampoco Procopio. Ambos se mantuvieron hoscos y sin moverse, en el ángulo más tenebroso del cuarto.

—¿Y Berta? ¿En dónde se ha quedado mi hija?

Abrumado a preguntas, inmóvil en medio de la salita, dilatadas las pupilas, les llamó la atención por la falta de alumbrado.

—Ya adquirimos el hábito de la oscuridad —observó Procopio frotando un cerillo contra la pared.

Encendió un cabo de vela, que de meses atrás servía por la noche sólo el momento preciso para que cada uno buscase su rincón y su manta y se echase a dormir en el suelo.

Pascual recorrió con sus ojos desde el piso de madera podrida y rezumante hasta los muros desconchados[61] y los techos ruinosos desde el mísero mobiliario hasta las ropas andrajosas.

—Si acaso viste alguna casa alumbrada en este barrio —observó Procopio con voz enronquecida—, puedes jurar que es morada de comerciante o de carrancista. Sólo a esos felices mortales les están permitidos ahora lujos de semejante magnitud.

La miseria del medio, el tono intencionado de Procopio, la zozobra de todos, hacían gran daño a Pascual. Su lujoso flux inglés, su sombrero Stetson, su gruesa leopoldina de oro, sus botas americanas de charol, desentonaban brutalmente.

—Mañana vendrá Berta, mañana vendrá —respondió impaciente a Agustinita. Luego, resuelto a terminar pronto su asunto, dijo—:

[60] **Cual . . . cabizbaja** Like some remorseful nun with head lowered.
[61] **muros desconchados** walls with the plaster falling off.

Vengo con malas noticias. La familia de ustedes figura en la lista de los enemigos personales del señor Carranza. Y como ustedes saben, el señor Carranza no es capaz de perdonarlos nunca.

Hubo un breve silencio de estupefacción.

—¿Quién puede asegurar eso? —inquirió Procopio.

—Yo lo sé. . .

—Pero sabes que eso es mentira.

—Desgraciadamente existen pruebas irrecusables.

—¿Qué pruebas tienen?

—Un préstamo que en plata fuerte hizo la familia Vázquez Prado al gobierno de Huerta.

—¡Es mentira!

—Ha pasado el comprobante por mis manos.

—Pues mientes tú también entonces.

—¿Yo miento? . . . Cuidado que. . . que puedo obligarlo a que se retracte.

—No soy de los que se arrepienten nunca. Te repito que mientes.

Pascual alzó los hombros, sonriendo con aire conmiserativo.

—Mientes como has mentido siempre; porque tu vida no ha sido sino una mentira. Pruebas. . . no palabras. . .

—¿Las quieres?

—No las quiero; las exijo.

—Te las daré a solas. No quiero sonrojarte más que delante de ti mismo.[62]

—Yo las pido a la luz del día. . . Y si no me las da. . .

—Por eso hay que pensar antes de hablar —repuso Pascual con energía.

—Quien sale de su casa con sólo la ropa que lleva puesta[63] —dijo Procopio avanzando un paso hacia Pascual— y regresa enriquecido . . . si no trae callos en las manos, debe traerlos y muy duros en el alma.

—Enséñeme usted la suyas. . .

Pascual dejó escapar por sus labios ahuecados algo como el silbido de una víbora.

—¡Ladrón! . . .

—¡Sanguijuela! . . .

La oscuridad del cuarto era propicia al desencadenamiento de un odio mortal apenas contenido. Al pleno sol no se habrían vertido las injurias que allí se cruzaron.

[62] **No . . . mismo** I don't want to embarrass you any more before others.
[63] **que lleva puesta** which he has on his back.

—No me repetirás esas palabras fuera de esta casa, miserable. . . Sal para escupirte a la cara lo que yo te he dicho. . .

Procopio se precipitó hacia el zaguán con los puños cerrados, mientras Pascual, intensamente pálido, con una sonrisa siniestra en los labios, se mantuvo inmóvil.

Y como Procopio, en el paroxismo de su cólera, se abalanzara sobre él resueltamente, Agustinita se interpuso:

—¡Basta! . . . Tengo que decir la verdad. . . Lo que Pascual afirma es cierto. . . Yo soy la única responsable. . .

—¿Tú? . . .

—Sí, yo. Presté veinte mil pesos al gobierno del señor Huerta. Pascual ha dicho la verdad. Estamos comprometidos.

Como bestia acorralada, Procopio resopló, dejó escapar un gemido de dolor, de rabia y de impotencia.

—Nunca te lo dije, Procopio, porque eras enemigo irreconciliable de aquel gobierno. La caja estuvo siempre abierta para mí y procuré no darte tiempo de hacer un recuento de los valores, antes de salir de Zacatecas.

—¡Valdría más que nunca hubieses vuelto a poner los pies aquí! —exclamó Lulú enfrentándose a Pascual.

—Me marcho, sí; pero antes he de poner en claro algo que a ustedes les interesa. Agustinita, examine usted estos papeles.

—Nuestros pagarés. Te aseguro que en cuanto nos sean devueltas nuestras propiedades. . .

—¡Magnífica esperanza! . . . Comprenden que en pago de este adeudo yo podría, a quererlo,[64] incautarme todos los bienes de ustedes. Pero como jamás he tenido intención de hacerles ningún daño, como alguien se ha atrevido a insinuarlo, miren bien lo que voy a hacer.

Estupefactos, Agustinita y Francisco José vieron cómo Pascual desparpajó los documentos que Agustinita le había devuelto, cómo hizo un haz con ellos y, tomándolo con la punta de los dedos por un extremo, pidió a Francisco José la vela. Grandes llamaradas se alzaron iluminando tétricamente la casa. Una franja cárdena atravesó la calle. Cenizas y fragmentos crepitantes y amarillentos fueron arrebatados por el viento.

Procopio estaba atónito. El semblante de Lulú ardiendo en febril agitación; Agustinita y Francisco José se hacían violencia para no echarse a los pies de Pascual, su salvador.

[64] **a quererlo** if I wanted to.

—Ahora no deben ustedes ni un centavo. . . ni a mí ni a nadie. . . He cumplido, y me marcho.

—No te vayas así. Es preciso que hablemos antes. . . debo de reparar mi falta —dijo Procopio acercándose a él con movimientos incoherentes —te he ofendido y te debo por tanto una satisfacción. Yo no puedo permitir que te vayas así. . . Soy honrado ante todo. . . Perdóname, Pascual. . .

—No, padre —prorrumpió Lulú con ímpetu—; él es el culpable de todo esto. No pierdas la cabeza.

—¡Silencio, Lulú! —estalló Agustinita.

—Es mi deber, hija mía. Lo he ofendido. . . Yo necesito que Pascual me perdone. . .

—Usted reconoce su equivocación de ahora. Usted conmigo se ha equivocado siempre. . .

—¡Grosero! . . . ¡No le hables así a papá! . . .

—Lulú, sal de aquí al momento.

—No te obedezco, madre, porque todos están abusando de él. No saldré de aquí. . .

—Quiero indicarles a ustedes —dijo Pascual con inaudita calma— él único medio de salvar su capital. . . Es lo único que aquí me detiene. . .

—Dí. . . anda, dí —exclamaron a una voz Agustinita y Francisco José.

—Hay que simular una escritura de venta de todos sus bienes, con fecha anterior a la revolución. Tengo un plan bien meditado; pero la recepción que me han hecho aquí no me ha permitido. . .

—¡Por Dios, hijito de mi alma, olvida las groserías que te hayan hecho! . . . ¡Por nosotros! . . . ¡Por Berta! . . . Procopio, ¡pobre!, está extremadamente débil. . . no se da cuenta. . . Se hará todo lo que tú digas.

—Entonces todo es muy fácil. Sólo hay que llenar un hueco precisamente con el nombre de una persona de absoluta confianza en cuyas manos depositan ustedes todo su caudal.

—¿Y quién otro podría ser sino tú mismo? —prorrumpió Agustinita delirante de alegría.

—Después de lo ocurrido, el solo hecho de pensar[65] en otra persona sería acrecer el agravio que se te ha hecho —afirmó doctoralmente Francisco José.

—Pero ésa es justamente la condición que yo pongo; que ni usted,

[65] **el . . . pensar** the very idea of thinking.

Agustinita, ni Francisco José sean la que la designen, sino únicamente y exclusivamente Procopio.

—¡Qué gesto! —exclamó Francisco José, dándose una gran palmada en la frente.

—Procopio —dijo entonces Agustinita, jubilosa—; aquí se te presenta la oportunidad de darle la mejor satisfacción a Pascual.

—No, papacito, él no. . . a él no. . . —susurró Lulú a su oído.

Procopio volvió sus ojos abismados, primero a Agustinita, luego a Lulú. Hubo que repetirle las palabras muchas veces. Su cerebro era un reloj parado. Cuando se acercó a la mesa y cogió la pluma, sus movimientos eran de sonámbulo.

—Escriba en estos huecos el nombre del ficticio comprador —dijo Pascual con voz clara y con serenidad perfecta.

—Escribe "Pascual" —ordenó secamente Agustinita.

—Pascual —repitío Francisco José anhelante.

Y Procopio puso el nombre de Pascual en todos los sitios que le señalaron.

Danzando y palmoteando como una niña de ocho años, Agustinita colmó a su marido de caricias:

—¡Hasta que por fin Dios Nuestro Señor se ha compadecido de nosotros! ¡Ahora sí vamos a ser[66] otra vez felices!

Luego obligaron a Procopio y a Pascual a darse un abrazo.

Lulú salió retorciéndose en convulsiones de dolor y de impotencia.

X

Apenas se cerraron las puertas a espaldas de Pascual, Lulú salió de la oscuridad y dijo con voz de martillo:

—¡Pascual nos ha robado!

Agustinita, sin parar mientes en ello, se arrojó en los brazos de Procopio, que todo dejaba hacer en perfecta inconsciencia.

—Gracias, viejo mío, gracias porque has sido justo al fin y nos has devuelto la paz y la alegría. Yo bien lo pensaba: "Procopio no es un mal hombre; no puede serlo. Procopio tiene un corazón muy noble, lo que pasa es que el pobrecito no sabe de muchas cosas. . . no es culpa suya, no puede ser. . ." ¡Oh, gracias, viejo de mi alma! Te perdonamos todo lo que nos has hecho sufrir y todos

[66] **Ahora sí vamos a ser** Now we can really begin to be. (*The word **sí** emphasizes the verb.*)

los males que nos has causado, sólo por este acto tan hermoso de tu vida.

Procopio se alejó como un autómata; llegó a tientas al jergón donde diario se tendía a dormir y se mantuvo silencioso e inmóvil, de pie, durante algunos instantes. De pronto, como ebrio en coma, se desplomó sobre el entarimado.

Al estruendo, Lulú se precipitó con la luz en sus manos.

Boca arriba,[67] con los ojos cerrados y la boca entreabierta, Procopio estaba rígido; una respiración superficial e incierta levantaba su pecho.

—¡Papacito! . . . ¡Papacito!

Lulú le cogía la cabeza y la levantaba en sus brazos. Agustinita acudió con agua y le roció el rostro. Al contacto del líquido frío Procopio abrió sus ojos. Reparó en los semblantes llenos de zozobra que le rodeaban; oyó los sollozos de Lulú.

—¿Qué? . . . ¿Qué tienen?[68] . . .

—¿Qué te pasó, papacito? . . .

—No. . . creo que no ha sido nada. . . ¡Bah, me siento bien: vayan a acostarse!

Y su sonrisa bondadosa habitual infundió más quietud que sus propias palabras. Todos se retiraron.

Procopio durmió y soñó. Hacía mucho tiempo que no soñaba. Fue en Zacatecas, ya al frente de sus negocios, contando dinero, todo el dinero de su caja fuerte. ¡Cuánto dinero! Oro en pilitas muy apretadas: hidalgos, medios hidalgos, águilas americanas, todo en rigurosa formación. Pero tan apretados que no dejaban punto en donde colocar un alfiler. En verdad, más que pilitas eran montones, cerros que se desmoronaban, que se amontonaban a sus pies, y subían, subían, hasta enclavarlo en su asiento. Oro en cascada que pronto le llegó a la cintura. Sintió pánico y volvió los ojos en busca de salvación.

Pero por las ventanas entraban ríos de oro y del techo se desplomaba un torrente de oro. Y sintió que el oro le llegaba al pecho, a la boca, que lo sofocaba, que le hacía imposible la respiración, que lo estaba ahogando. E hizo un esfuerzo colosal, sobrehumano y definitivo. Chorreando de sudor, se incorporó en su lecho miserable.

Claras y distintas oyó las campanas de los Ángeles. Una. . . dos. . . Luego silencio completo.

[67] **Boca arriba** Lying on his back.
[68] **¿Qué tienen?** What's the matter?

Dos horas de reposo fueron suficientes para hacerlo recobrar su perfecta lucidez. Oyó las cuatro, al despertar de nuevo. Y las palabras pronunciadas por Lulú se repitieron con absoluta claridad: "¡Pascual nos ha robado!"

Se incorporó, sigilosamente buscó sus ropas, se vistió en silencio, salió de puntillas y abrió el zaguán.

Soledad solemne. Del foco central del jardín de los Ángeles se difundía una tibia y lechosa claridad. El cielo estaba cuajado de estrellas. Allá a lo lejos, por Santiago,[69] retumbaban sordos los primeros carros de pulque. Se dio prisa, torció por un costado de la casa, y uno a uno fue recogiendo los fragmentos de papel medio ardidos y diseminados por la acera. Regresó y entró sin ruido.

—¿Oyeron rumores anoche? —preguntó Agustinita cuando se desayunaban—. Creo que alguien se levantó, o yo soñé. Como estaba desvelada me dormí de un tirón.

En vez de responder, Procopio preguntó:

—¿Qué constancias existen por escrito del préstamo que hiciste al gobierno de Victoriano Huerta?

Agustinita buscó la cara de Francisco José y cruzó una leve sonrisa con él; hizo un gesto de impaciencia y luego otro de resignación:

—Fue un secreto para todo el mundo con excepción de Pascual que entregó el dinero y del Jefe de la plaza[70] de Zacatecas que lo recibió.

—Lo que quiere decir que sólo Pascual ha podido revelar ese secreto a Carranza, o que todo esto es una miserable mentira.

—¡Eso es evidente! —afirmó Lulú.

Agustinita y Francisco José cambiaron de nuevo sonrisas de infinita piedad.

—¡Ojalá así puedan sonreír siempre!

—Hijito, deberías consultar con un médico. Es natural que después de los golpes que hemos sufrido, tu cerebro no ande del todo bien.[71]

—¡Cuánto más valdría que fuese esto una locura mía!

—¿Pero es posible que dudes aún de Pascual, después de lo ocurrido anoche?

[69] **Santiago** *A district near the Los Ángeles district in northeastern Mexico City.*
[70] **Jefe de la plaza** *A local officer concerned with military matters and under the authority of the central government.*
[71] **no . . . bien** isn't in good working order.

—Dudé, ahora no dudo. Ahora digo que se ha burlado cínicamente de todos nosotros.

—¡Por Dios, Procopio!

—Pascual es un canalla. . . Pascual es un ladrón. . .

—¡Procopio! . . .

—Aquí están las pruebas. . .

Sacó de sus bolsillos unos fragmentos de papel ennegrecido y quemado de sus bordes. En un ángulo se levantaban, ampolladas por el calor, algunas estampillas intactas.

Todos se acercaron curiosamente a ver. Agustinita y Francisco José, profundamente consternados.

—Veo que no comprenden nada. Fíjense en que las estampillas son de este año: mírenlas bien. ¿Y qué quiere decir esto? Qué estos documentos son falsos, que no son los que firmamos en 1914,[72] que él los ha arreglado para asestarnos su golpe maestro. ¿Comprendieron ahora?

—¡Miserable! —exclamó Lulú con voz velada.

—Así pues, tu hijito del alma, además de ser un gran cómico, es un gran bandido.

Agustinita dejó escapar una desconcertante carcajada. Luego sus ojos brillaron como de lobezna y sus colmillos como de víbora. Y dijo:

—Pues confío más en un bandido como Pascual. . . que en mi íntegro marido. . . ¡un bueno para nada! . . .

—¡Madre! —gritó Lulú crispando sus dedos sobre sus propias carnes.[73]

Por las venas de Procopio corrió algo como plomo fundido. Sus carrillos y sus labios eran de plomo. En sus oídos dejó de zumbar la sangre a presión altísima.

XI

Se dio cuenta de la distancia que había recorrido, sólo porque la aglomeración de peatones, coches y tranvías le interceptó el paso en la esquina del Correo.[74] Pero al reanudarse el tráfico prosiguió su

[72] *That is, when Huerta was in power.*

[73] **crispando . . . carnes** contracting her fingers so convulsively that they dug into her flesh.

[74] **el Correo** *The main post office on San Juan de Letrán Avenue.*

marcha acelerada, absorto, sin que nada ni nadie turbaran el silencio y la soledad de su alma. En seguida se perdió entre la multitud de transeúntes. Se detuvo frente a una enorme puerta de vecindad sucia y mal oliente. Secó el sudor que bañaba su rostro, esperó breves instantes, y luego, decidido, tomó un pasillo angosto y tenebroso donde una multitud de rapaces corrían y retozaban aullando como gatas en brama.[75] A mitad del patio un grupo de comadres en concilio[76] le interrumpieron el paso. Más adelante otras presenciaban gravemente una riña. "Con permiso", dijo muy atento.

Detúvose ante una mísera pocilga, encendió un cerillo, reconoció los números y golpeó imperceptiblemente las maderas trastabillantes.

Al ver brillar el cañón de una pistola, en el mismo momento en que se abría la puerta, retrocedió:

—¡Soy yo, Archibaldo! . . .

—¿Usted aquí, tío Procopio?

—Sé que estás aquí de incógnito. Vienes prófugo del Estado de Morelos.[77]

—¿Cómo lo ha sabido?

—Hace tres noches que te vi por las calles de Tacuba;[78] te seguí porque quise saber qué hacías y en dónde vivías. Lo demás es fácil de adivinar. Pero otro es mi asunto. Préstame tu pistola, Archibaldo.

—¿Mi pistola? —respondió más sorprendido aún Archibaldo.

—Es el primer favor que te pido. . . ¿me lo negarás?

—Pero ¿qué va usted a hacer? . . .

—Nada, que he oído ruido en las azoteas de la casa y. . . temo. . .

—¿Un asalto?

—Anda, hombre, no vaciles; préstame tu pistola.

Archibaldo se encaminó a su cama. "¡Soy un tonto de capirote! El pobre tío es un comicucho detestable y no quiere que yo sospeche que le falta hasta para el desayuno de mañana. Mi pobre pistola va ahora al Monte de Piedad.[79] ¡Sea por Dios!"

Y con presteza sacó de debajo de las almohadas las últimas monedas que le quedaban. Volvió hacia Procopio y, al mismo tiempo que le puso la pistola en las manos, deslizó las monedas furtivamente en un bolsillo de su saco.

[75] **gatas en brama** cats on the prowl.

[76] **comadres en concilio** clacking gossips.

[77] **Estado de Morelos** *Immediately south of the State of México, it was the center of Zapata's authority.*

[78] **Tacuba** *A poor section in the northwestern part of the city.*

[79] **Monte de Piedad** *See previous note 82.*

Apenas sintió Procopio el contacto helado de la pistola, sonrió sombríamente. Y salió del cuarto sin un adiós siquiera, sin un gesto de agradecimiento.

Eso desconcertó a Archibaldo. "¿Si no la quisiera para lo que yo creo? ¿Si lo que él pretende es escapar de una vez de la lucha?" Sin darse un segundo más a elucubraciones, cogió su sombrero, se echó apenas el saco a la espalda y salió corriendo.

Al entrar a la Alameda vio aparecer y desaparecer la sombra austera de Procopio vivamente iluminada por el gran foco voltaico de una glorieta. Como una flecha se disparó a alcanzarlo. Sus pies casi no tocaban el suelo, hasta que por fin le dio alcance, plantándole una mano sobre un hombro.

—Tío Procopio, he venido corriendo a traerle los tiros; esa pistola está descargada.

—¡Bah, hombre, cuánto te lo agradezco! Dámelos.

Sus ojos brillaban tétricos; el acento de su voz no era el suyo.

—Gracias, gracias. Ahora puedes marcharte.

—Tío Procopio, permítame que lo acompañe hasta su casa.

—¡Chst! . . . No voy allí. . . Es otro asunto. Déjame, hasta luego.

—Iré adonde usted vaya. . .

—Imposible, es algo reservado. . .

—Le prometo la discreción más absoluta.

—Es por demás, querido Archibaldo. Gracias, regresa a tu casa y déjame en paz.

—No tengo ocupaciones y la compañía de usted me ha sido siempre muy grata.

—¡Con mil demonios, charlatán, déjame en paz! Que no quiero que nadie me acompañe.

—Tío, usted va a pelear y yo quiero ser testigo. . .

—Mentecato, yo no peleo con nadie, yo no soy espadachín. . . Vete al infierno. . .

—Bueno, tío, pues iré adonde usted vaya. Es inútil que se enoje.

—¡Oh! ¡Nunca te creí tan bestia! . . . Vamos, pues, a la casa.

—Sí, tío, vamos a la casa. . .

Fue más de media hora de perfecto mutismo. En las cercanías de los Ángeles, Archibaldo se detuvo brevísimo tiempo y a la luz de un foco escribió dos renglones en una hoja arrancada de su cartera. Procopio, abstraído, no se dio cuenta.

Al llegar al portal de la casa, pronunció con voz apagada:

—¿Quieres entrar, Archibaldo?

—Les saludo y me marcho, tío.

—Pasa, pues.

Procopio fijó sus ojos escrutadores en Archibaldo, abrió la puerta y le cedió el paso.

—¡Archibaldo aquí! —exclamó Lulú.

—¡Archibaldo! —exclamaron todos, sorprendidos.

Nadie le creía en la capital.

La visita fue corta. Al despedirse de Lulú, Archibaldo deslizó en sus dedos un papelito encarrujado.

Procopio lo acompañó hasta la esquina y le dijo muy quedo:

—Lo he visto todo, Archibaldo. Gracias, puedes marcharte tranquilo.

Archibaldo se volvió sorprendido, y sus ojos se encontraron con los de Procopio en una mirada que lo decía todo.

—Gracias a usted, tío Procopio. . . Por usted y por. . . ella.

Entretanto Lulú se había retirado al comedor y leyó: "Cuidado con tu papá; ha venido a pedirme la pistola. No lo dejes solo ni un momento."

Las pupilas de Lulú se dilataron. Esperó recuperar sus fuerzas para regresar a la sala.

—¿Irás con nosotras a rezar? —dijo Agustinita.

—Prefiero acompañar a papá.

—Como quieras.

Agustinita tomó el brazo de Francisco José y salieron. La división de la familia estaba consumada y ya no era misterio ni para ellos mismos.

XII

—¡Jesús, papacito, tienes hoy tanta cana, que no parece sino que te lloviznó ceniza en la cabeza!

—Con los años toda lucha es vana, Lulú.

—¿Los años? Hace apenas veinticuatro horas que la tenías tan negra como la mía.

—Es que hay horas que valen años.

—Ésa es la verdad. . . ¡Y mira qué cara! . . . ¡y cuántas arrugas! . . . ¿En dónde se habrá escondido la buena risa de papá?

Procopio levantó su frente. El rostro de Lulú enardecía; sus miradas relampagueaban:

—No, tú no eres mi padre. El mío me enseñó que la risa es siempre buena. Él supo reír siempre. Tú no ríes, y él me dijo muchas veces:

"Lulú, hay que saber mirar la vida de frente y con la risa en los labios." ¿Verdad que ese papá no existe ya? . . . Porque papá no mentía, papá no era de esas gentes que son puras palabras y palabras. . .

—¡Calla, Lulú, calla! . . .

—¿No me dijiste una vez: "Lulú, el secreto de la felicidad está en no pedirle a la vida más de lo que la vida puede darnos?"

Humillado, abatido, anonadado, reacciona al fin:

—Lulú, no debes juzgarme así. Tú no puedes comprender la magnitud de mis tormentos. . . ¿Quién me ayudará a soportar el último golpe?

—¿Y es mi padre quien así me habla ahora? ¿Y esos tus robustos brazos? ¿Y esa sólida cabeza?[80] . . . ¿Y estas mis manos? . . .

—¡Tus manos! . . .

Procopio las toma, se las lleva a los labios y devotamente deja rodar sobre ellas una lágrima de fuego. Lulú deja caer su cabeza sobre el pecho convulso de su padre. Y los dos lloran un tiempo que nadie mide.

Cuando Agustinita y Francisco José regresaron de los Ángeles de decir sus oraciones, Lulú, palpitante de alegría, se pone de rodillas ante una pobre estampa[81] clavada en la pared, a darle gracias a Dios.

Procopio se retiró a su lecho. Las lágrimas abundantemente derramadas habían sido lluvia bienhechora. En las palabras fuertes de Lulú acababa de entrever nuevos derroteros. Y esa noche Lulú durmió con la serenidad del niño, y él durmió con el cansancio del león desgarrado en tremenda lucha, pero triunfante a la postre, siempre vencedor.

Despertó a la madrugada. Su cerebro estaba despejado; su corazón latía pausadamente. Se vistió y salió en seguida. Ponía la llave[82] cuando apareció Lulú, bondadosa, sonriente, llena de gracia.

—¿Tú, hija? . . .

—Desde ahora siempre con usted. . .

Procopio sonrió enternecido.

—¿Adónde quieres que vayamos?

—¿Adónde ibas tú?

—Ya sabes que me gusta madrugar y salir sin rumbo fijo.

—Vamos.

[80] **sólida cabeza** practical brain.
[81] **estampa** *A small religious picture.*
[82] **Ponía la llave** He was unlocking (*the door*).

Comenzaba a aclararse el día. En el aire fresco vibraron los bronces de una iglesia. Dieron las cinco. Después comenzó el repiqueteo en el campanario llamando a misa.

—¿Quieres que vayamos? —dijo ella.

—Iré adonde tú quieras —respondió Procopio con absoluta serenidad.

Y los dos desaparecieron en la fría lobreguez de un templo cuyas puertas acababan de crujir.

XIII

De la iglesia salió Procopio acabado de transformar. En su voz vibraron el vigor y la sonrisa perdidos en mucho tiempo.

Regresaron en silencio, pero con tal prontitud que jadeaban al volver a su casa.

Procopio pidió agua, jabón, cepillos y entró en su cuarto. Tuvo la calma suficiente para dedicar dos horas al repaso de sus ropas vetustas y abrillantadas y a su aseo personal.

—¿Por qué no hablas, papacito? —le preguntó Lulú, que lo ayudaba.

—Calla. . . calla. . . Acá adentro traigo algo nuevo. . . Ya lo sabrás. . .

Y cuando apareció remozado, dijo con un acento que se le desconocía:

—¡Prohibo de una manera absoluta que alguien de esta casa vuelva a poner sus pies en la de Pascual!

—¿Y Berta? —observó Agustinita al instante.

—Ésta es nuestra casa y la casa de Berta.

Y se echó a la calle.

—¿Irá por fin a buscar quien le arregle la cabeza?[83] —rumoreó Agustinita sonriendo y confusa al mismo tiempo.

—No es él quien más lo necesita —respondió Lulú.

—¿Habrás sido tú alguna vez mi hija?

Antes de una semana, Procopio puso en manos de su mujer tres pesadas monedas de oro:

—Para el gasto de la semana.

[83] **quien . . . cabeza** someone who can bring him to his senses.

¡Cuatro pesos diarios!

Todos se miraron atónitos. ¿Quién había visto jamás treinta pesos juntos y en monedas efectivas,[84] desde hacía dos años?

Procopio escondía su satisfacción y su regocijo. Y una mirada retrospectiva lo hacía asombrarse no del presente sino del pasado. ¿Por qué milagro no les faltó ni un solo día cuando menos una taza de caldo de habas, un platillo de papas cocidas y una docena de tortillas? Las últimas alhajas de Lulú, la misteriosa mensualidad venida por conducto del tendajero de la esquina: mensualidad cuya desaparición coincidió precisamente con la deserción de Archibaldo de las filas zapatistas.

Luego que acabaron de comer, Lulú lo acompañó hasta el zaguán. Procopio le besó la frente al despedirse y le dijo:

—Ahora sí, Lulú, a levantar otro edificio.

Agustinita, que espiaba los gestos y las palabras de Procopio, muy intrigada, hizo venir a su hija y le preguntó:

—¿Qué secreto te dijo al despedirse?

—Ningún secreto, mamá. Sólo estas palabras: "Ahora vamos a levantar otro edificio."

Agustinita movía los párpados como un gorila, buscando el sentido de la frase. Mientras tanto los hidalgos pasaban de una mano a la otra, haciendo oír su grato retintín.

"A levantar otro edificio", pronunciaba maquinalmente, y su mirada recorría distraídamente los ámbitos del comedor.

Y comenzó el milagro del oro. En su espíritu moroso y turbio se agitaron vagos deseos; sus pensamientos tomaron forma y se exteriorizaron. Los objetos que la rodeaban adquirían de pronto significación precisa. Se sorprendió, como si los viese por primera vez, y exclamó consternada:

—¡Dios Santo, qué asco de casa![85]

Y corrió al estanquillo por jabón, lejía y escobetas. "A levantar otro edificio", repetía entre dientes. Trajo un cubo de agua y dentro revolvió platos de peltre sin esmalte, vasos desportillados, tazas sin asa, cubiertos herrumbrosos y desiguales. Y comenzó a trafaguear: "A levantar otro edificio."

Sus manos se ponían rojas, abotagadas. Atacó con verdadera furia la mísera vajilla hasta arrancar el orín, más que del tiempo, de un

[84] **¿Quién . . . efectivas** Who had ever seen as much as thirty ***pesos*** at once and in coin.

[85] **qué asco de casa!** what a disgustingly dirty house!

abandono completo.[86] Y todo iba quedando poco a poco, limpio, resplandeciente. Ya al atardecer acabó su faena, alineando simétricamente los objetos sobre unas repisas de pino bruto que servían de aparadores. Los contempló a distancia, con cierta melancolía, y un suspiro escapó de su boca en el preciso momento en que la luz se hacía en su cerebro. "¡Bah, ahora lo comprendo todo! Pascual ha conseguido la devolución de nuestros bienes o cuando menos de alguna buena suma. ¿De qué otra parte podría venir este dinero? Procopio es demasiado soberbio para confesar sus errores y recurre a subterfugios como eso de 'Hay que levantar otro edificio'. Yo habría dicho más bien: 'Hay que levantar todos los edificios que los bandidos han derribado.' Esperemos a que él caiga por su propio peso: que el pez por su boca muere."

Dos semanas más tarde no fueron ya treinta pesos, sino un rollito apretado de medios hidalgos. En un rapto de alegría, Agustinita iba a echarse en los brazos de Procopio; pero el tono áspero y seco de su marido le hicieron el efecto de una ducha helada.

—Desde mañana la comida en punto de la una y media.

Si la palabra era seca y el gesto sobrio, su tono imperativo no daba lugar a réplica. Agustinita, pues, se mordió los labios. Y ese día Procopio, al despedirse como siempre de Lulú que lo acompañaba hasta el zaguán, le dijo luego que le besó la frente:

—Ahora sí, Lulú, estamos salvados.

Agustinita, loca de alegería, fue a llevar la buena nueva a Francisco José.

—Procopio ha dicho que estamos salvados. La cosa es clara: o Procopio obtuvo ya la devolución de nuestras fincas, o los alemanes han triunfado, o don Félix Díaz, que nomás eso está esperando, viene ya a tomar la plaza.[87]

Y desbordante de entusiasmo agregó:

—Después de todo, Procopio no es un mal hombre. ¿Verdad, Francisco José?

Entonces tomó la formal determinación de perdonar con valentía las faltas de su marido, a cuya testarudez de roca se debían todas las penalidades de la familia. Se decidió a romper el bloque de hielo que

[86] **más . . . completo** which had collected from neglect rather than from the passage of time.
[87] **tomar la plaza** capture the city.

los tenía distanciados, así fuera con el sacrificio de su propia dignidad. Sólo que por la noche, cuando Procopio regresó, cambiadas apenas las palabras indiferentes y de mera ocasión, ella se sintió profundamente cohibida. El maldito acento autoritario que Procopio había cogido no sólo le mataba su antiguo y fácil impulsivismo, sino que la privaba de toda libertad. Por lo que el discurso premeditado de concordia quedaba ahogado en un silencio de inquietud y zozobra.

Así transcurrieron días y semanas. Pero como el dinero seguía llegando con regularidad y cada vez en aumento, y a las ropas modestas de casa siguieron los trajes de calle; como Francisco José, pesare a sus arrestos neorrománticos, echara carrillos y colores, como manzanas de california; como la misma Bernabé se resarcía de los malos tiempos, repasando toda su sabiduría culinaria y toda su inventiva en platillos nuevos todos los días, Agustinita sintió amenguar su pena hasta entregarse a ojos cerrados a su destino.

Sin embargo, el terror que Procopio inspiraba a Agustinita estaba fundado en meras suposiciones. Porque si, en efecto, él asumía por primera vez su actitud de jefe de casa, jamás pronunció palabra descomedida alguna. Sólo sí más sobrio en su gesto y más seco en su decir. Sus hábitos dejaron de ser los de un desocupado. En punto de las seis se desayunaba y salía a la calle para no regresar sino hasta la una. Comía y otra vez afuera. Cenaba a las ocho y se metía en su cuarto. Después de echarle llave[88] se ponía a escribir en grandes libros de contabilidad hasta muy entrada la noche.[89]

—Han de ser los libros de la hacienda —dijo Agustinita—. Todo ha de estar muy embrollado. Pascual seguramente exige una liquidación muy minuciosa para obligar al gobierno al pago de los daños y perjuicios que nos ha hecho la revolución.

Siguieron, pues, viviendo en el misterio de Procopio enmudecido y de Berta inaccesible, esperando descifrarlo todo en cuanto aparecieran las "extras" de la prensa anunciando por fin el triunfo de los alemanes y la presencia de "don Félix" en las cercanías de México.[90]

[88] **echarle llave** locking himself in.
[89] **hasta . . . noche** until very late at night.
[90] *Her hope was that Félix Díaz, nephew of the old dictator, would be able to recover control in Mexico if Germany won the war. In the latter part of 1916, Germany's military situation appeared hopeful.*

XIV

Un domingo, al sonar las últimas campanadas de la misa de las nueve, un lujoso automóvil se detuvo a las puertas de la vetusta y polvosa parroquia de los Ángeles. Descendió una dama velada, de aspecto endeble y enfermizo, de porte distinguido y vestida a la última moda. Entró en el templo en el momento en que el sacerdote, revestido de oro y púrpura, ante el altar flamante, comenzaba la misa. Pero apenas posó sus dedos sobre la pileta del agua bendita, se santiguó y salió a la calle, rumoreando una plegaria.

—Espéreme en aquel portalito —ordenó a su chofer.

Atravesó la calle; bajo la ruinosa portalada agitó un tosco y enmohecido llamador.

—¡Berta! . . .

—¡Papá! . . . ¿Y mi madre? . . . ¿y mis hermanos? . . . ¿en dónde están?

—¿Entonces tu ausencia de México fue por tu enfermedad?

—Un cólico del que creí morirme, papá. Luego dos meses interminables en Tehuacán[91]. . . Y ahora aquí de vuelta, igual o como me fui, porque mi mal no es precisamente físico. Tantas cartas que he escrito a mamá y ninguna contestación. . . . Nadie me va a visitar. . . Mamá, la única que pudiera consolarme, me abandona también. ¿Qué mal les he hecho, pues?

Procopio esperó a que los sollozos dejaran de sacudir aquel pobre pecho plano y anguloso, y habló:

—No culpes a tu madre: ella no ha sabido nada.

—¿Qué? . . .

—Yo intercepté tus cartas. . . No me preguntes por qué. Tan necesario así, que en ello va no sólo mi dignidad sino la de toda la familia, la tuya misma. . .

—Pero es que yo debo saber. . .

—¡El mismo tono de tu madre! . . . No me hables así, Berta. Comprende que si callo es para no agregar un dolor más a los tuyos.

—¿Y qué significa una gota de agua más en el mar?

—¿A ti también te hace sufrir? . . . ¡Infame! . . .

—¿Qué significa eso? . . . ¡A mí nomás! . . . A mí sola. . .

[91] **Tehuacán** *A resort in the State of Puebla frequented by those seeking cures.*

—Entonces tú no has sospechado lo que pasó entre Pascual y nosotros. ¿Él no te ha dicho nada, pues?

—No comprendo. . .

—Berta, yo he prohibido que de esta casa nadie ponga más los pies en la de tu marido. A la casa del ladrón que nos lo ha robado todo. . .

—¡Que no! . . . ¡que no! . . . cállese usted. . . Pascual no es ladrón, será un marido abominable, pero es y será siempre un caballero perfecto. . . Yo lo defiendo de usted. . .

—Defiende a tu propio asesino y al ladrón enriquecido con lo nuestro. . .

—¡Dios mío, qué vergüenza! . . . Calle usted. . . ¿Nosotros, él y yo, enriquecidos matándolos a ustedes de hambre? . . .

—No, Berta. Eso tampoco es verdad. El hambre huyó de esta casa el mismo día que se descubrió al ladrón. . .

—¡Papá!

—¿Te inspira más confianza tu marido que tu mismo padre? . . . ¿Dudas de mí?

—No dudo, niego. . . ¿Por qué no supe yo esto antes? . . . ¡Qué vergüenza! . . . ¡Déjeme usted ir! . . .

—Yo no te detengo; pero puedes esperar aquí cuanto gustes, porque ésta es y será siempre tu casa, tu verdadera casa. . . Espera a tu madre, a tus hermanos. . .

—No quiero verlos. Me faltaría valor para decirles que yo juro no volver nunca más aquí. . . No tengo valor para decirles que usted. . . ¡que usted miente!

Y se precipitó a la puerta.

Pero tan débil, que tuvo que aceptar el sostén de los brazos de su padre, para subir a su auto.

El coche tuerce bruscamente la calle, y Procopio, ensimismado, no vuelve en sí hasta que una mano menuda se posa como una caricia sobre uno de sus hombros.

—Ya venimos de misa, papacito. ¿No fuiste tú?

—Sí. . . digo no. . .

Y como hasta el acento de su voz lo traicionara, optó por el silencio.

Agustinita y Francisco José llegaron después, esponjados como pavos reales.

Nadie supo de la visita de Berta.

XV

Entre una multitud de cabezas, fifíes almibarados, mofletudos carrancistas transpirando alcohol y lascivia,[92] cómicos afectados y afeitados, coristas como flores de alambre y papel de china, se alzó una cara enjuta de ojos avizores y siguió fijamente la silueta de un hombre que pasaba entre una multitud de transeúntes por la acera opuesta.

"¡Mi tío Procopio! Flux nuevo, cuello de lino flamante, botas relucientes y más reluciente el regocijo que despiden sus ojos, su boca y cada poro de su cuerpo. ¡Algo ha ocurrido! Y yo necesito saberlo en seguida."

Archibaldo se abrió paso entre los revendedores, artistas y ociosos que a diario se aglomeran a las puertas del teatro Principal[93] a la hora en que comienzan los ensayos.

—Tío Procopio, buenos días.

—¡Hola, Archibaldo, tú por aquí! He ido a buscarte y nadie me sabe dar razón de tu nuevo domicilio. Ni has vuelto a pararte en la casa.

—Sólo tengo quince días aquí. ¿Pero cómo quiere usted que me presente en su casa en estas fachas?

—Muy pronto, quizás en esta misma semana pueda proporcionarte unos cien pesos para que te vistas.

—Tío Procopio, no me ofenda usted. . .

—Pero si es dinero tuyo, es el dinero que has estado enviando desde Cuernavaca[94] en los momentos más difíciles para mí. . .

—Por eso me hice soldado. Mañana cobro aquí mi primera decena.[95]

—¿Aquí? . . . ¿En qué trabajas, pues?

—Trabajo al fin, tío Procopio. Justamente allí en el Principal.

—¿Cómico tú? . . . ¡Ja, ja, ja! . . . No, hombre, eso no está bien. Espérame a la una en punto en este mismo sitio —se acababan de

[92] **fifíes . . . lascivia** effeminate, elaborately dressed dandies, fat-cheeked ***carrancistas*** perspiring from alcohol and lasciviousness.

[93] **teatro Principal** *A theater then at Bolívar and the 16 de Septiembre Avenues.*

[94] **Cuernavaca** *The capital of the State of Morelos.*

[95] **decena** salary for a ten-day period. *It was customary to pay salaries at ten-day intervals.*

detener a las puertas de La Gran Ciudad de Hamburgo—.[96] Puedo hacer algo por ti. Y te dejo porque es la hora de entrar a las oficinas.

—¿Qué oficinas?

—Soy cajero de esta casa.

—Estaré puntual, tío Procopio.

"¡Bah! —pensó Archibaldo—, mi tío trabaja como cualquier infeliz empleadillo.[97] ¿Y esto qué quiere decir? Claro: que el capital de los Vázquez Prados se fue a fondo. ¡Qué felicidad! Trabajo como segundo apunte en el Principal; me gano tres pesos diarios y tengo una brillante perspectiva para mañana. . . o lo que es igual: puedo ya formar hogar con quien posee un capital tan parecido al mío."

Ansioso, estuvo, pues, puntualísimo a la cita. Procopio lo tomó de un brazo y juntos caminaron por Santa María la Redonda.[98]

—Pues ya verás lo que ocurrió, Archibaldo. Después de aquella noche tormentosa cuando tú me salvaste la vida, me sentí otro. Soberbia, dignidad, miedo, zozobra: todo se acabó. Pero tú puedes imaginarte las tremendas luchas predecesoras a mi definitiva resolución. ¡Qué difícil es despojarse del maldito orgullo que arraiga tan hondo en quien ha tenido dinero alguna vez!

—Hace tantos años de eso para mí —interrumpió Archibaldo como soñando— que ya hasta lo he olvidado.

—Quizá sin la crisis tan tremenda que tuve que atravesar, no me hubiese atrevido nunca. Era preciso un golpe de tal magnitud para despertarme. Solicitar el destino, previa la confesión del dolor, de la humillación de una familia en la miseria, en la ruina. . . ¡Después comenzar como cobrador, escribiente, vigilante; ascender por riguroso escalafón! . . . Porque si una casualidad feliz me puso en el término de dos meses al frente de la caja, los breves días que desempeñé los más modestos empleos fueron para mí años incalculables. ¡Qué cruelmente castigada la famosa dignidad! Pero, por otra parte, ¡qué inmensa satisfacción ésta de luchar cuerpo a cuerpo con el destino adverso! Sentir hostilidad en el enjambre humano que afuera zumba: hostilidad en los amigos que nos huyen; hostilidad en los mismos seres que más amamos y nos retiran su confianza, hostilidad en el más grande y poderoso de todos nuestros enemigos, en ese *yo*

96 **Gran Ciudad de Hamburgo** *Azuela used a fictitious name because he attributed disreputable practices to its management.*

97 **infeliz empleadillo** unimportant employee.

98 **Santa María la Redonda** *The extension of San Juan de Letrán Avenue to the north.*

artero y cobarde que se resiste a prender la mecha, cual si por fuerza el cañon hubiera de estallar entre sus propias manos: ese *yo* rebelde a quien hay que arrancarle sin compasión la palabra sublime y omnipotente, el *quiero:* la palabra siempre eternamente vencedora. . . Escúchame con atención.

Viva la mirada, el gesto pronto, locuaz como estudiante, ahora descendía a confidencias íntimas. ¡Él, que seis meses antes enronquecía por no hablar, ahora estaba desbordante!

—Yo lo había perdido todo; me había perdido a mí mismo. Dejé deslizar los mejores años de mi vida y desprecié mis mejores actividades en la inconsciencia de una obra meramente pasiva. Yo significaba en mi propia casa sólo una útil resistencia: nada más. Más tarde los acontecimientos me hicieron descender del peldaño hasta quedar como sujeto del segundo plano, figura decorativa; más tarde, sin voz ni voto. Al último, nadie. . .

Archibaldo le escuchaba muy nervioso; pero sus pensamientos eran muy distintos.

—Porque ahora —seguía Procopio, soberbio de alegría— yo proveo el sustento de mi mujer y de mis hijos; porque ahora yo hablo como debe hablar el jefe de una casa, cuando quiere y lo que quiere. Porque ahora soy yo. ¡El dinero! Ese maldito espantapájaros interpuesto eternamente entre mi mujer y yo: siempre manteniéndome a distancia, cohibido, empequeñecido y a menudo anulado. Y lo más triste es que ni yo me daba cuenta cabal de mi pobre papel. Supe del yugo que me doblegaba, cuando tuve los pedazos de él entre mis manos. ¡Sí, el dinero fue el ladrón de mi felicidad!

—Lo que usted me cuenta —prorrumpió Archibaldo al fin— me llena de felicidad y de alegría.

—¿Qué quieres decirme?

—Que el dinero ha sido también para mí el dique interpuesto entre. . . Tío, por tercera vez le pido la mano de Lulú.

—Archibaldo, no abuses. . .

—Le juro por la santa memoria de mi madre que he pensado y he calculado mucho antes de resolverme a decirle esto. Si usted ha perdido su fortuna, ¿por qué no me podría yo casar ya con Lulú?

—No ha sido el obstáculo el dinero, Archibaldo. . . Tú mismo lo has sido. . .

—No comprendo.

—Te quiero bien, y tú lo sabes. Pero tú nunca has sido un hombre serio.

—¡Ah! . . . ¿Y qué es eso de ser un hombre serio, tío Procopio? ¿Parecerse a Pascual, por ejemplo?

—Te comprendo. ¡Basta! . . . Archibaldo, ¿serías capaz de hacer la felicidad de Lulú, de lo que yo más amo en el mundo?

—¡Pst! . . . esa pregunta yo no puedo contestársela; ella que le responda. . .

Callaron. Sus manos tendidas se unieron en un apretón y pasó por ellas una vibración extraña, un estremecimiento hondo y misterioso.

Se separaron enmudecidos y la misma sonrisa y el mismo suspiro se extinguieron en sus labios y en sus pechos.

XVI

La atmósfera aromosa a tabacos habanos, caoba y piel de rusia del elegante gabinete privado de los patrones no hacía ya efecto en la emotividad convaleciente de Procopio. Podía permanecer de pie, e inalterable, horas enteras esperando una resolución o un acuerdo, como cualquier mozo de partes. A su vez, los patrones no interrumpían ya sus pláticas en presencia del cajero, todo formalidad y discreción.

Ese día reinaba buen humor y se bebía champaña. Del champurrado de voces sacábase en claro el motivo principal de aquel regocijo. Una concesión aduanal hábilmente adquirida del gobierno para importar artículos de seda y lencería: medio millón de pesos de utilidades ciertas e inmediatas. Y todo a cambio de un banquete y dos talegas al nuevo ministro de Carranza.

El carrancismo[99] se había desnudado, en esa época, en toda su impúdica abyección. No era el gran robo a la nación entera con el papel moneda, ni el de los millones extraídos de los bancos; no, ahora se robaba como roban los rateros: concesiones de carros de ferrocarril, por ejemplo, de a doscientos pesos. Y toda aquella porquería autorizada con el autógrafo del Presidente de la República.

—Fue muy útil la intervención del cónsul —dijo un enorme pelirrojo que desbordaba su asiento.

—Indudablemente —repuso otro—; pero todo lo decidió el ministro con las facilidades que nos dio. Es una persona verdadera-

[99] **carrancismo** the policies of the Carranza régime.

mente decente: se le conoce mucho en los círculos zacatecanos. Un caballero de todos modos.

Procopio tomó la cartera con los documentos que esperaba y salió.

La prensa también aplaudía los primeros actos del nuevo ministro y felicitaba al señor Carranza por su tino en la elección de colaborador tan apto e inteligente.

"Ha llegado a ministro, y ha sido su ascenso todo un éxito", pensó Procopio.

En tropel acudieron pensamientos y reflexiones a su mente; tantas que tuvo que suspender sus faenas por algunos minutos. Veía destacarse ahora en toda su magnitud la figura de Pascual, ministro de Carranza. Figura de la madera legítima que se fabrican los grandes hombres de Maquiavelo.[100] El anarquista nato, en la meta de sus anhelos. Pero no el anarquista, bohemio medio muerto de hambre; sino el otro, el verdadero, el que burlándose con la finura más exquisita de la sociedad y de su ley, como escalones, sabrá llegar hasta la cúspide del poder y escupir desde ahí todo su desprecio a los mismos que lo elevaron. Impunemente robará, violará, matará. La Sociedad, endiosada con su Hombre, grabará su nombre en letras de oro en el más imbécil de sus libros, y levantará mármoles y bronces que perpetúen al que supo encarnar sus sentimientos, sus ideas y sus ambiciones.

Sin pedirle permiso a nadie, de pronto cerró la caja, tomó su sombrero y salió a la calle.

—Por el Paseo de la Reforma.[101]

El Ford se detuvo diez minutos más tarde ante el pórtico arrogente de la residencia del señor ministro.

Con paso firme, Procopio franqueó la escalinata, dio su nombre con voz vibrante y entró.

—La señora está en la iglesia; regresa siempre antes de la una.

—¿Y el señor?

—Parece que a él no le gusta que le hablen más que en sus oficinas. . .

Atento y ceremonioso, sin embargo, el criado lo condujo a un lujoso saloncito donde Procopio tomó asiento, dispuesto a esperar todo el día, si era necesario. ¿Esperar? ¿Esperar qué? ¿A quién? Perplejo se habría quedado si se le hubiese ocurrido formularse

[100] **Maquiavelo** *Machiavelli (1469–1527), author of* The Prince *in which he advocated political chicanery.*

[101] **el Paseo de la Reforma** The great central avenue of Mexico City.

esas preguntas. La fuerza desconocida que le había llevado inexorablemente allí no le intrigaba. Ni era apenas consciente de ella.

Cuando el mozo se retiró y se perdió el eco de sus palabras que como saetas habían ido a clavarse en los estucos y artesonados de las bóvedas sonoras, le habló el silencio solemne y magnífico de las alfombras y tapicerías, de las porcelanas, de los mármoles y de los bronces. Era un frío más frío que el de las tumbas porque sobre los sepulcros mismos cuaja el grano, revienta la yema y arraiga la yerbecilla.[102] Otro más intenso, el frío de un alma muerta.

Y una sombra doliente tras de Pascual: la compañera abandonada, mártir inocente.

Y como Procopio lo ha comprendido todo ya, el mismo arrebato de enajenación mental que lo hiciera abandonar el pupitre de su oficina ahora le arroja de la casa de Pascual como un alucinado.

XVII

—Deberías seguirlo. Yo no estaré tranquila hasta no saber de cierto adónde va todos los días.

—Basta con que él lo haga, para que esté bien hecho[103] —respondió Lulú, sin alzar los ojos de su labor.

—Si fueras buena hija, como lo presumes, me obedecerías.

Cansada de la terquedad de Agustinita, se levantó bruscamente, tomó su sombrero y salió:

—Voy, pues, a seguirlo.

Momentos antes Procopio se había marchado a su trabajo. Fue menester que en aquellas calles poco transitadas Lulú se defendiera de ser descubierta, amparándose en los bultos de la gente o en los postes de la luz. Pero ya en el centro pudo caminar a corta distancia de él, perdiéndose con facilidad entre las numerosas empleaditas esbeltas y graciosamente vestidas que confluían de todo México hacia los despachos, oficinas y almacenes. Lo tenía al alcance de sus manos cuando una voz la hizo desviarse:

—¡Lulú! . . .

—¡Archibaldo! . . . ¿Tú aquí? . . . ¡Estoy muy enojada!

[102] **cuaja . . . yerbecilla** the grain quickens, buds burst forth, and little plants take root.

[103] **Basta . . . hecho** It is only necessary to know that he does it to know that it is right.

—No tengo la culpa, espera para explicarte. . . Ya verás. . .

—Tus mentiras de siempre. ¿Por qué no me has escrito siquiera? . . . ¡Válgame Dios, me has distraído y ya lo perdí de vista! . . . ¡Media hora de venir por aquí echando el alma![104] . . .

—¿A quién buscas? . . .

—¿A quién otro podría ser, hombre? . . . A papá. . .

—¡Ah, entonces descuida, que yo te diré dónde puedes encontrarlo! ¿Te urge?

—Me urge que no me vea. Sólo necesito saber adónde viene.

—Son las ocho: no puede estar sino en su oficina.

—¿En cuál oficina? . . . ¿Tú sabes, pues?

—Hace tres días justos que nos encontramos en esta misma calle. Tanto que hemos hablado formalmente de algo que nos atañe muy directamente a ti y a mí. ¿No te ha dicho?

—Absolutamente nada. . . Ah, oye, ahora recuerdo algo. Sí, me ha parecido verlo inquieto. Como si quisiera hablarme y vacilara. Yo he querido preguntarle; pero temo a mis propias indiscreciones.

—Digna hija de él; como él es digno padre tuyo.

—Déjate de adulaciones y dime de qué hablaron.

—¡Cualquier cosa![105] Le pedí una vez más tu mano. . .

—¿Y él? . . .

—Puesto que ha desaparecido el dinero, que era lo que nos estorbaba. . .

—Eso sabes también.

—Él me lo dijo.

—Bueno, ¿y qué te respondió?

—"Archibaldo, tú sabes que te quiero bien: ¿serías capaz de hacer la felicidad de Lulú, de lo que más quiero en el mundo?"

Los ojos de Lulú se arrasaron; su mano oprimió la de Archibaldo.

—Yo le dije: "Tío Procopio, esa pregunta sólo ella puede contestarla."

Fingían estar mirando las figuras de cera de los aparadores de La Palestina,[106] y estaban estrechamente tomados de las manos.[107]

Lulú, abstraída unos momentos, se deshizo pronto de él, y lo interrogó con gravedad:

—Dime, Archibaldo, ¿tú trabajas?

104 **¡Media . . . alma!** It took me half an hour to get here hurrying as fast as I could!

105 **¡Cualquier cosa!** Not anything much!

106 **La Palestina** *A leather goods and novelty shop.*

107 **estrechamente . . . manos** were tightly holding hands.

Archibaldo vaciló un instante; luego respondió con decisión:

—¡Soy apuntador del Principal!

—¡Horror! ¿Entonces tú les ves seguramente las piernas a todas esas mujeres. . . malas? . . .

—Lo mismo que tú y yo se las estamos viendo ahora a todas las que van pasando. . . buenas y malas. . .

—Calla. Tus bromas no me hacen gracia.[108] Renuncias inmediatamente a esa ocupación; mejor dicho, no vuelves a poner los pies en ningún teatro. . .

—Prefieres entonces que sea soldado. . .

—Tampoco. . . Oye, ¿por qué tarda tanto papá en esas oficinas?

—No saldrá sino hasta que salgan todos los empleados.

—Pero si él no es empleado.

—Nomás es el cajero de la casa.

—¿Qué dices? ¿Papá el cajero de esta casa? . . .

—De La Gran Ciudad de Hamburgo. . . ¡Caracoles, si habré cometido alguna torpeza! Tú no sabías nada de esto, y si él se ha guardado la reserva, por algo ha de ser. . .

—Descuida: has hecho muy bien.

—¿Qué vas a hacer?

—No lo sé. Pero creo que hasta te he conseguido un buen empleo ya. . .

—¡Lulú! . . .

—No me detengas, hombre, tengo la gran idea. . . Búscame mañana a las ocho de la noche. Por la ventana del costado, ¿entiendes? Adiós. . .

Extático, Archibaldo siguió la menuda y graciosa silueta de su novia, que desapareció por la gran puerta de las bodegas de La Gran Ciudad de Hamburgo.

XVIII

Las ideas mariposeaban en el cerebro de Lulú sin fijeza alguna todavía.

Entró al azar y preguntó al conserje:

—¿Con quién se entiende aquí uno para los destinos?

—Ahí va subiendo ahora mismo el Gerente. Segundo piso, un pasillo, y a la derecha.

Lulú lo alcanzó, al salir del elevador:

[108] **no me hacen gracia** do not amuse me.

—Señor, necesito un empleo para mí.

Sorprendido, el alto jefe volvió su rostro. Tan singular procedimiento no era la mejor recomendación; sin embargo, la gracia y la ingenuidad de Lulú casi lo desarmaron. Pero por un momento nomás. Quien desde barrer los despachos ha subido escalón por escalón hasta la gerencia de una gran casa mercantil ha sabido adquirir más ciencia que toda una biblioteca. Adueñado, pues, de la importancia de su posición, respondió con desabrimiento:

—¿No ha leído esos letreros?

—Sí, dicen a gritos que no hay vacantes; pero es que a mí me urge mucho el empleo.

Tras los bigotes ásperos y grises se removió leve sonrisa. Unos ojillos penetrantes se clavaron en la muchacha.

—Deme su nombre, señorita. La tendré presente para la primera oportunidad.

—Pero ¿piensa usted que mamá me va a permitir que todos los días venga yo a informarme? Primero consigo el destino y después, quiéralo ella o no, todo está hecho.

El Gerente se intrigó:

—Bien. ¿Qué sabe usted? ¿En qué casas ha servido? ¿Qué recomendaciones trae o cuando menos qué referencias me puede presentar?

—¡Válgame Dios, señor! ¿Qué recomendaciones quiere usted que le dé, si no son las de que con la revolución perdimos totalmente nuestro capital y que ahora, para mantener apenas a la familia, mi papá trabaja como un negro?

El Gerente había reparado en cierto gesto y en el timbre de la voz de Lulú que le recordaba a uno de sus empleados, sin poder asegurar exactamente a quién. Rememoró y de pronto lo comprendió todo.

—Lo natural sería, señorita, que su papá mismo viniera a solicitar el empleo.

—No conoce usted a papá. Si yo no lo tomo por asalto y comprometo a todo el mundo, con seguridad que no me lo permitirían en casa jamás.[109] Pero ¿no le parece a usted que, en la casa de un pobre, el que no tabraja es un ladrón de su propia familia?

—¿Sabe usted taquigrafía?

[109] **Si yo . . . jamás.** If I don't act at once and put everybody on the spot, the members of the family would never permit it (*that is, permit me to take a job*).

—No señor; pero la aprenderé.

—¿Escribe en máquina?

—Hace cuatro años ayudaba a papá en su correspondencia.

El Gerente se rascó una oreja, sonrió maliciosamente; luego, tomando la bocina del teléfono, se comunicó con el departamento de caja.

—Suba usted al tercer piso.

Loca de alegría, Lulú salió y en tres saltos estuvo ante su rejilla.

—¿Qué deseaba usted, señorita?

—Me envía el señor Gerente.

—¡Ah, sí! . . . Pase usted y sírvase esperar. . .

De pie y durante media hora interminable, Lulú permaneció en espera de que al señor cajero se le diera la gana de levantar sus ojos de los papeles del pupitre.

—¡Cómo, Lulú? . . . ¿Tú aquí? . . . ¿Qué significa esto? . . .

—Soy tu taquígrafa, papacito.

—Pero. . .

Lulú se acercó a darle una explicación en voz baja.

—Mamá me envió a espiarte y a saber en dónde te metías. Ya estando aquí me ocurrió la idea de. . . Y ya lo ves. . .

—¡Qué ligereza de niña![110] ¿Qué hiciste?

—Muy sencillo. Le hablé al Gerente y conseguí el destino lo mismo que tú quién sabe desde cuándo.

Cuando Lulú volvió, al mediodía, entró gritando con alborozo:

—¡Albricias, estamos colocados en La Gran Ciudad de Hamburgo! Papá es el cajero y yo su taquígrafa.

—¿Qué dice?

Agustinita y Francisco José se miraron estupefactos.

—Digo —respondió Lulú quitándose el sombrero y componiendo sus cabellos ante un espejito de mano— que quien no trabaja en la casa de un pobre es ladrón de su propia familia.

—¡Mientes! —exclamó Francisco José, lívido.

—Francisco José escribe un libro —replicó Agustinita con gesto de Euménide.[111]

No hubo tiempo de prolongar la disputa, porque Procopio, que se había detenido en la tienda de abarrotes de la esquina a comprar jamón, blanquillos, quesos y cerveza, apareció en el zaguán.

110 **¡Qué ligereza de niña!** What a harebrained girl you are!
111 **Euménide** *A Fury in Greek mythology.*

XIX

La verdad descarnada y en pleno sol ni es verdad ni es nada para los nictálopes.[112] Por tanto, Agustinita y Francisco José, lejos de sentir rotas sus esperanzas y sus ilusiones al reventar tan brutalmente el misterio de Procopio, infundiéronse nuevos alientos, vigor creciente, que pronto tornarían en actos primos. Las cosas habrían tomado su cauce obligado y definitivo, si los acontecimientos que ocurrieron al día siguiente no les hubiesen dado un sesgo tan violento como inesperado. Esa mañana el mozo de partes de La Gran Ciudad de Hamburgo subió precipitadamente al departamento de caja y, desencajado y pálido, dijo que el cajero estaba tendido, en el segundo piso, en un charco de sangre.

—¿Papá? . . . ¿Está herido? . . .

—Yo creo que está muerto.

Lulú se desvaneció. Vino un médico, se dio aviso a la policía, y mientras unos levantaban el cuerpo de Procopio, otros prodigaban sus atenciones a Lulú.

Cuando, después de exhalar débiles sollozos, ella volvió en sí, se encontraba en un diván, atendida personalmente por el Gerente de la casa.

—Mi papá, ¿dónde está?

—No ha sido más que una pequeña descalabradura.

—Yo quiero verlo. . .

Fue en vano pretender contenerla. Se puso en pie y no se detuvo hasta encontrar a Procopio a quien el médico acababa de vendar. Era algo insignificante, que en menos de dos semanas estaría cicatrizado.

Aunque Procopio estaba profundamente pálido y una sombra ahuecaba sus ojos oscuros, la sonrisa le devolvió en seguida la expresión habitual a su rostro.

—Estoy perfectamente —dijo con voz bastante débil—; en seguida subiré a la caja. Espérame allá tranquila, Lulú.

Pero ella no quiso dejarlo solo ni un instante. Juntos ascendieron, y una vez instalados para reanudar las tareas ordinarias, Lulú le preguntó cómo había sido la caída. Él no pudo explicarle, porque ignoraba si efectivamente había tropezado o no.

Lulú, que se mantuvo inquieta y preocupada, le dijo al salir:

[112] **La . . . nictálopes.** Truth naked and in the full sun is neither truth nor anything else for those who can see only in the night.

—Vamos para que te examine un médico.

—¿Con qué objeto? ¿No dijo ya el que vino que esto no tiene importancia alguna?

—Ni siquiera te reconoció.

—¿Y qué quieres que vaya yo a decir si no siento nada, si estoy tan bueno y sano como tú? . . .

—Deberás decir precisamente lo contrario: que estás enfermo, aunque no sientas nada ni sabes de qué.

Procopio se echó a reír; pero Lulú se obstinó a tal punto, que lo hizo seguirla a uno de los consultorios de más fama.

—Es un buen médico, uno de los mejores de México, según he oído decir —susurró Lulú cuando ascendían ya las escaleras.

Se mantuvo a su lado hasta que a lo vio desaparecer, llegado su turno, en el gabinete de consultas.

El examen fue de una minuciosidad irritante. Como todas las gentes que han sido sanas, Procopio profesaba un profundo desdén por los médicos y sus medicinas. Encontró redundantes, torpes y ridículas todas las prácticas del diagnóstico. Pero el hábito de urbanidad le hizo someterse a todas ellas, sin protesta. Y cuando ya se creía librado del intruso que con tanta desenvoltura inquiría sobre sus costumbres más íntimas, se le hizo entrar en el salón de radiografías y análisis de laboratorio. Su cabeza daba vueltas, sentía un vacío profundo en el estómago. Todavía se le hizo pasar a otro salón. Distrajo su mal humor leyendo las leyendas al calce de grandes láminas de anatomía suspendidas en los muros. Volvió los ojos a otro lado, y ahí se encontró con grandes frascos bocales conteniendo vísceras humanas, negruzcas y achicharradas, flotantes en un líquido avinagrado. "Estos encurtidos —pensó— me quitan cuando menos el apetito."

Por fin se le hizo entrar de nuevo en el gabinete de la eminencia. Éste le alargó un papel y le dijo desapaciblemente:

—Reposo absoluto. Agua pura[113] durante veinticuatro horas; agua y leche otras tantas. Entonces me hará llamar a su casa. Estas cucharadas para tomar una cada cuatro horas.

Procopio tomó la prescripción con ostensible frialdad.

—¿Es, pues, la cosa seria?

—Lo será si usted lo quiere.

A las puertas del consultorio, Procopio se detuvo meditabundo. Se iba comprimiendo la receta entre sus dedos hasta casi desaparecer. De pronto alzó los hombros y la sonrisa apareció en sus labios; siguió

113 **Agua pura** Only water.

adelante y la bolita de papel saltó disparada a media calle, sin premuras, por la mera contracción automática de las manos.

Cual si despertara de un sueño, bruscamente sacó su reloj y, al darse cuenta de lo avanzado de la hora, retrocedió y entró en el primer restorán que encontró. "Una sopa de ostiones es bastante nutritiva, el *ragout* de carnero es mi platillo favorito, un filete de huachinango y media de Chambertin —pensó recorriendo la lista—. Para un hombre débil y sangrado además, seguramente que esto es preferible a tomar agua, cama y médico."

Y sonriendo con su más bello humor, señaló al mesero los platillos elegidos en la carta.

Del restorán salío en brazos[114] a un coche de sitio.

Llegó a su casa, acerado y sin alcanzar brizna de aire.[115]

XX

Francisco José era un poeta serio; por consiguiente, el espíritu parásito había anidado en su cerebro. Cuando Lulú pronunció las fatales palabras: "Papá y yo estamos trabajando", se fue de espaldas.[116]

—Mamacita —lanzó un grito, después de largas horas de reconcentración—, he resuelto nuestro problema. Ellos han encontrado su vocablo salvador, el trabajo; yo he encontrado ya el nuestro, Pascual. Vamos en seguida a buscar a Pascual.

—Anda, Francisco José, vamos. Tu consejo es sabio y bueno. Que Pascual sepa quién es el verdadero y único culpable y que nosotros, mártires abnegados del deber, sólo hemos retrocedido ante la ignominia. . . ¡ante lo imposible!

—Y aunque Pascual nació en humildes pañales,[117] su corazón es noble y sabrá comprendernos.

—Te abrirá filialmente sus brazos amantísimos, madre.

—Y escuchará nuestros ruegos.

—No tanto como ruegos. . . Sólo pedimos un acto de estricta justicia.

[114] **Del . . . brazos** He was aided from the restaurant.
[115] **sin . . . aire** without being able to get a good breath.
[116] **se fue de espaldas** he was amazed.
[117] **humildes pañales** humble circumstances.

—Un decoroso abrigo en su casa. . . eso es todo.

—El abrigo a que tiene derecho toda familia decente.

Francisco José entra a cambiar de traje y se absorbe en profunda meditación. Sin grave ofensa al bello estilo ni a la estética, puede muy bien preguntarse ahora que ha salido de su torre de marfil: "¿Por qué, Dios mío, tú que nunca desamparaste al más vil gusanillo, que tuviste siempre una abundosa cabellera para el piojo abyecto, faldas de luengos pliegues para la inquieta pulga, tibio colchón para la chinche apoplética y hasta sendos oídos resinosos para cada garrapata, no habrías de tener un abrigo decente y decoroso para los Vázquez Prados de Zacatecas?"

Dos horas de ansioso y fatigante caminar. Rendidos se detienen a respirar el aire puro al pie de la estatua de Cuauhtémoc.[118] La tarde es nublosa, amenaza lluvia; el aire tibio y embalsamado de las arboledas pasa en grandes bocanadas.

—El agua llega, madre.

Francisco José señala una nube negra que muge y se levanta espumeante sobre la enramada.

—Sí, vamos, ya he descansado bastante.

Paso a paso siguen su ruta por el Paseo de la Reforma. La nube se disipa y el sol resplandeciente baña de nuevo los árboles y acentúa el perfil de las elegantes residencias. Cuando entre el verdor del boscaje y en medio de los *chalets* más elegantes asoma, como plateado y escamoso vientre de un enorme pez, el cobertizo de la mansión soberbia de Pascual, Agustinita y Francisco José sienten en su corazón, reseco y acibarado por tantos días de frustradas ilusiones y desencantos, el aleteo de una esperanza nueva. Cuando Agustinita oprime con su mano febril el botón eléctrico de la rejilla, siente que el corazón se le escapa.

Un criado de flamante traje negro y albísima pechera inquiere con ceñudo gesto qué es lo que desean.

—Buscamos a la señora —responde Agustinita con voz trémula y apagada.

El lacayo los examina de pies a cabeza insolentemente y pregunta a quiénes tiene que anunciar.

—A la madre y a un hermano de Berta —responde olímpico Francisco José.

El criado baja entonces la cabeza con humildad y se digna descender y tirar del pasador. Inclina medio cuerpo y cede el paso:

[118] **Cuauhtémoc** *The last Aztec emperor of Mexico.*

—Tengan ustedes la bondad de esperar aquí un momento. Voy a avisar.

Tal cambio de actitud hace que Agustinita y Francisco José transijan con formulismos que no deberían rezar con ellos.[119]

Ocupan un asiento en el largo pasillo silencioso y semioscuro. Sus miradas vagan por las molduras y bajos relieves, por los adornos que decoran los muros y el plafón. Al fondo, sobre un costado del *hall,* se diseminan plantas exóticas sustentadas por jarrones de barro cocido, que traen con un suspiro a la memoria de Agustinita su casa de Zacatecas.

Francisco José se pone en pie y recorre nerviosamente la estancia.

—Berta se ha hecho descuidada, madre; ve cómo esa porcelana tiene vuelto del lado de la pared un magnífico Rembrandt. ¡Apenas se concibe!

Agustinita se levanta, coloca la pieza en correcta posición, y observa:

—¡Aquí no se barre nunca, Jesús! Encuentro telarañas por todas partes.

Agustinita regresa al sillón. Está inquieta. No sabe qué pensar de la conducta de Berta. Es una grave falta de educación hacerla esperar a ella, a su misma madre. Porque Agustinita está en su propia casa; puesto que está en la casa de su hija.

Pero como a pesar de tan cuerdas reflexiones Berta no parece, para fomentar la ilusión de que, en efecto, está en su casa, habla en alta voz:

—¡Dios mío, este palacio tan hermoso sumido en tanta soledad y silencio! Aun los ruidos de la calle se amortiguan aquí. Esto es muy triste. Berta no tiene niños, que son la alegría de una casa, pero debería tener muchos pájaros. Yo haré que nos traigan cenzontles de Zacatecas, que los sé educar muy bien. Llenaré esto de canarios, clarines, calandrias. . . de ruido y de alegría.

—Yo le aconsejaré a Pascual un gato de Angora y un *fox terrier.* Eso es muy chic. Da carácter.

De pronto, en la vidriera del fondo, a través de los cristales apagados en finos arabescos y caprichosos dibujos en blanco mate,[120] se esfuma una silueta y pasa una sombra.

[119] **transijan . . . ellos** accommodate themselves to formalities which ought not to have concerned them.

[120] **cristales . . . mate** glass partitions made opaque with arabesques and etched designs.

—¿Vi o se me figuró? ¿Qué ha sido? Francisco, me soplaron aire frío en la espalda. ¡La flaca me ha tentado![121]

Las puertas se entreabren y aparece Berta, pálida, demacrada, con aires de azoro.[122]

—¡Berta! . . .

Se echan en brazos y se estrechan con efusión.

—¡Jesucristo, eres sólo una sombra de lo que fuiste, hija de mi alma!

La amplia y flotante bata de seda verde pone tintes fúnebres en el rostro amembrillado de Berta. Sus carnes enjutas parecen guiñapo miserable de mariposa de espléndidas alas irisadas de oro.

En sus voces medio ahogadas por el llanto y los gemidos se adivinan apenas estas palabras:

—¡Soy muy desgraciada!

Francisco José contrae la frente. ¿Habrá perdido el seso Berta? ¿Cómo puede llamarse desgraciada la joven esposa que pisa gruesas alfombras, siente el hálito sagrado de los maestros del arte antiguo y moderno, respira perfumes exquisitos y se alumbra con racimos luminosos?

—¡Habla hija, dímelo todo; aquí estoy para defenderte de cualquiera que pretenda hacerte daño! ¿Quién te ha puesto así?

Berta refrena su dolor para hablar:

—Cuando vivíamos en Zacatecas modestamente, con sólo la mesada de papá, yo era feliz, inmensamente feliz; lo tenía todo. . . lo tenía a él. . . Hoy somos millonarios y hoy soy nada, soy nadie. . . él no me pertenece.

Francisco José, emocionado hasta las lágrimas, pregunta:

—¿No te basta, hermana mía, el que te haya rodeado de tantas comodidades y de tanto lujo?

—¡Qué disparate! ¡Las comodidades! ¡El lujo! . . . Si yo fuera pobre siquiera. El trabajo sería mi consuelo, en el trabajo encontraría alivio para mi dolor, el trabajo agotaría mis pobres fuerzas y, rendida, podría dormir largas horas, interminables horas. ¡Qué dicha! En el trabajo encontraría seguramente la resignación que hoy nadie, nadie me puede dar. . .

[121] **¡La flaca me ha tentado!** It seems to me that Death brushed by me! *Lit.:* The thin one [*Death*] has touched me.

[122] **aires de azoro** embarrassed manner.

XXI

¡El trabajo!, ¡el trabajo!, ¡el trabajo!

La palabra suena a martillazos. Es un golpe de látigo infligido en pleno rostro.

En la mente de Agustinita se inicia una labor de zapa.[123] Berta no sabe hablar más que de su dolor inconsolable. Y como con un hallazgo ahora quiere alucinarse con la idea del trabajo. Porque en el trabajo mira algo que podría ocupar, en parte al menos, el vacío de su vida. El trabajo sería su compañero fiel, capaz quizá de hacerla olvidar, por momentos siquiera, la inutilidad y el absurdo de su vida. Si en su ociosidad de infierno las horas corren como siglos, trabajando las contaría como segundos. ¡Y qué dicha la de ver precipitarse el tiempo en aceleración vertiginosa, para quien no tiene más destino en la vida que pasear su propio cadáver por las frías paredes de una tumba prematura!

—Si yo no creyera en Dios, abandonaría a Pascual. . . y en el trabajo encontraría seguramente mi salvación. ¡Felices los que tienen el trabajo para olvidar el dolor de vivir!

Y oyendo aquel lamento sostenido e interminable, Agustinita ve claro que ella, que viniera en pos de consuelo y tranquilidad, es ahora la que tiene que impartirlos.

Berta deja de hablar. Su semblante toma el color de un cirio, flaquean sus piernas y, espléndidamente envuelta en su rica bata de seda verde y oro, cae sin sentido en la alfombra, convulsa como un pajarillo herido de muerte.

Agustinita acude en su auxilio; se echa de rodillas sobre la alfombra, levanta la cabeza que rueda inerte sobre uno de sus brazos, terso y musculoso.

—¡Berta! . . .

Un torrente de besos y de lágrimas se desborda sobre la faz traslúcida y enjuta.

Francisco José da voces implorando ayuda.

Gran agitación. Suenan los timbres, rechinan los goznes, las puertas se abren con estrépito y la servidumbre acude. Hasta la cuchilla del cocinero relampaguea relamiendo por sus dos caras el albo delantal.[124]

[123] **En . . . zapa** In Agustinita's mind began to develop a suspicion that something was going on behind her back.

[124] **relampaguea . . . delantal** one side and then the other flashed as it licked against his snowy white apron.

—¡Agua de colonia para mi hija!

Agustinita fricciona los miembros fláccidos y, con voz que es un lamento, exclama:

—¡Pero sí es un esqueleto! . . .

De pronto, como si oculto resorte hubiese movido a todos los maniquíes, la servidumbre se coloca en fila rigurosa y guarda respetuosa compostura. Por una puertecilla medio entornada aparece Pascual envuelto en una gruesa bata de baño, descubierta la cabeza y chorreando agua todavía. Sus manos gordinflonas agitan los cordones de donde penden dos borlas como bolas de oro.

Olvidado de su madre y de su hermana, Francisco José salta sobre ellas y corre hacia Pascual con los brazos abiertos:

—¡Hermano! . . .

Pero Pascual, clavando sus ojos de gavilán en el grupo que se debate en la alfombra, pronuncia con clara y serena entonación:

—Está neurasténica. El médico quiere que se le eviten estas escenas. Sería preferible, pues, que siguiéramos como antes. . . Por consiguiente, nada de visitas. . .

Agustinita levanta su frente estrecha; sus ojos se dilatan, en sus temporales culebrean sus arterias endurecidas y se encrespan mechones grises.

—¡Hermano! —implora, inocente, Francisco José y avanza a estrecharlo.

Pero Pascual gira sobre sus talones y a su espalda se cierra con estrépito la puertecilla.

Francisco José inclina la cabeza, pliega las cejas y se reconcentra. Pronto su frente se yergue alta y limpia. Y pronuncia con gravedad y en voz baja:

—Todo está bien, porque yo he sido festinado e incorrecto.

Y Agustinita en cuya mente se ha verificado una transformación súbita, agobiada por el cataclismo, permanece con Berta en sus brazos y absortos los ojos en el vacío.[125]

Berta deja escapar un suspiro y entreabre los ojos.

—¡Ah. . . mi madre! . . . ¡Mi hermano también! ¿En dónde estoy? . . .

—¿Te sientes mejor, hija mía?

Cuando Berta ha recobrado sus sentidos, Agustinita le dice:

—Cuando quieras vernos, ya sabes en dónde está tu casa. Modesta casa, casa de pobres, casa de gentes que se ganan la vida con sus propias manos; pero la casa de tu padre, de tu madre, de tus her-

[125] **absortos . . . vacío** stared vacantly into space.

manos. . . ¡tu verdadera casa. . . ! Ahí tendrás el calor del hogar. . .

—¡El calor de un hogar! —respondió Berta como un eco lejanísimo, sofocada de nuevo por el llanto.

—Francisco José, vámonos.

—¿Irnos? Pero si aún nos falta lo principal, madre. No te turbes.

—Aquí está tu sombrero.

—Pero. . . ¡madre! . . .

—Sí, Francisco José, es mejor que se vayan. Pascual podría venir y. . . es mejor que no los halle aquí. . . ¡Dios Nuestro Señor me dio esta cruz, pero es sólo mi cruz! . . . Debo cumplir con mi deber. . .

Zumba el viento, el cielo muge.

—No te comprendo, mamacita. ¡Esto es absurdo!

—¿Es verdad que nos has comprendido nada, Francisco José?

—Incuestionablemente he sido incorrecto. No era el momento oportuno para abrazarlo. Él ha hecho uso de un legítimo derecho. Una explicación mía todo lo habría arreglado. Aún es tiempo, madre. Te digo que debemos regresar. Además, mira cómo ya comienza a llover.

Por primera vez Agustinita puso en duda las altas dotes intelectuales y morales del poeta del hogar.

—¡Por Dios, mamá, esta lluvia es torrencial! Vé qué negrura: nada se distingue ya a lo lejos. Siento las piernas quebradas además. . .

—Yo siento el alma quebrada para siempre. . . ¡Qué injusticia! . . .

—Deliras, mamacita. ¿Qué tienes? Díme, ¿te duele la cabeza? . . . Anda, sígueme, vamos a refugiarnos cerca de los muros de esa casa. El agua escurre ya por mi sombrero.

—¿Es posible, Francisco José, que nada trasluzcas de esta horrible verdad?

—Lo único que sé ahora es que estoy hecho una sopa.

—¡Qué horrible injusticia! ¡Castigo de Dios por nuestros pecados! Debatiéndose en su tormenta interior, Agustinita apenas se da cuenta de la otra. Francisco José la lleva a remolque y jadeantes se arriman a los muros de una lujosa residencia.

Las masas difusas de los árboles se han fundido en una sola y la gran plancha de la recta avenida[126] se tiende como una víbora de plata.

Pasa media hora y comienza a cesar la lluvia.

—Vámonos —pronuncia Agustinita de repente y como saliendo de un sueño.

[126] **la gran . . . avenida** the straight avenue, like a flat sheet of steel.

—Vámonos ya —repite Agustinita, y lo sacude por los hombros.

Cuando llegan al jardín de los Ángeles, se oyen las cornetas en los cuarteles cercanos de Santiago Tlaltelolco.[127]

Un suspiro inmenso como la noche.

Antes de trasponer el portalillo de la casa, Agustinita toma el brazo de su hijo y le detiene:

—Tenemos que echarnos a sus pies y pedirle perdón.

—¿A quién, madre? ¡Sigues delirando! . . .

—Lulú es la única que ha sabido comprenderlo.

—Yo no comprendo a nadie. . . y ahora ni a ti siquiera. . .

Transformada, Agustinita se yergue, lo coge de un puño y su mano crispada hinca las uñas en la carne hasta arrancarle un grito de dolor. Entonces con voz aguda y penetrante como fina hoja de acero le aturde en los oídos:

—¡Imbécil. . . Pascual nos ha robado! . . .

XXII

Apenas entran en la alcoba de Procopio, despavoridos lanzan un grito.

—¡Espantoso! —explica Lulú saliendo al encuentro—. Un ataque; ha llegado en coche ya casi sin respirar; corrí por un médico. . .

—¿Y? . . .

—¡Qué sé yo! . . . que el corazón. . . que los riñones[128]. . .

Las voces eran apagadas. Procopio no despertó. Su rostro se perdía en la blancura de las almohadas y las sábanas.

Transcurrieron dos días de angustia mortal; al tercero se inició el alivio. Pero el médico puso una nota de sombra en el regocijo general: "No es preciso siquiera que el ataque se repita para un funesto desenlace."

Cuando Agustinita vino con el primer alimento de la mañana, Procopio sonrió como un niño ávido de golosina, cogió entre sus manos la taza de leche y no pudo contener un suspiro de satisfacción. Sentía la alegría del convaleciente: la servilleta desdoblada sobre sus rodillas, la franja de sol que entraba por la puerta, el pedazo de cielo que asomaba a su ventana, los gorjeos de los pájaros en el

[127] **Santiago Tlaltelolco** *A poor district in the northeastern section of the city.*
[128] **¡Qué . . . riñones** How can I tell! It may be his heart; it may be his kidneys.

jardín, todo eso que en la vida diaria, por trivial, pasa inadvertido, era para él objeto de viva alegría.

Luego que acabó de desayunarse, tomó una mano de Agustinita:

—Me alegro de que por fin hayas abierto los ojos. Mira, la verdadera dicha es ésta, la de las pequeñas alegrías diarias, porque la otra, la Dicha que se escribe con mayúscula, ésa no existe, es miraje, mentira funesta. Los elementos de la felicidad los llevamos dentro con absoluta equidad. Todo depende de poner en armonía nuestro mundo interior con el de afuera. . .

Se hacía elocuente, sus ojos brillaban, sus mejillas se teñían.

—No hables, te fatigas —observó Agustinita.

Un sudor helado humedecía la frente de Procopio.

Sorprendido él mismo de la límpida claridad con que ahora percibía ideas antes confusas o subconscientes, presa de extraño fuego, continuó:

—El que ha cogido el sentido de la vida puede comprenderme. Tú, Lulú, lo puedes. Yo lo sé demasiado. Los que buscan la dicha fuera de sí mismos van al fracaso indefectible. Pero para alcanzar el sentido de la vida no hay más que un camino único, el del dolor. Por el dolor se nos revela en toda su verdad nuestra personalidad íntima, y con esa revelación viene aparejada la revelación suprema: el sentido de la vida. Tanto más vasto será el campo de nuestras pequeñas alegrías, cuanto más alto hayamos ascendido en la escala del dolor.

—Te fatigas, Procopio —insistió Agustinita casi implorante.

Todos veían algo extraño en él y le escuchaban profundamente consternados. Su voz era anhelante y en sus mejillas resplandecían como fulgores de crepúsculo.

Pero algo también muy solemne debería de pasar por su espíritu para que no se diera cuenta de su estado físico.

Francisco José entró a decir que Archibaldo deseaba saludarlo.

—Sí, que entre; ahora quiero ver a todos mis predilectos.

Un apretón de manos y una sonrisa cordial. Lo de siempre.

—A las periódicas remesas que Archibaldo nos hizo durante el tiempo que estuvo con los zapatistas, debemos el que no nos faltara dinero en más de un año.

Ojos admirados se clavaron en Archibaldo que, tan parlanchín de ordinario, ahora quién sabe qué llevaba o que había visto que le hacía contenerse,[129] sin despegar los labios y con aire conturbado.

[129] **ahora . . . contenerse** who could tell what it was now that he had on his mind or what it was he had seen which made him restrain himself.

—Lulú dice, Archibaldo, que tú y yo nos parecemos como dos gotas de agua. Y es la verdad, porque tú siempre me has comprendido. . . Pero sólo tú. . .

Una dulce sonrisa plegó sus labios, aunque sus palabras implicaban un reproche.

—Yo, caduco, impotente, agobiado por este mal repentino que me lleva, soy con todo más feliz que ustedes. Siento alegría hasta por la blancura de mis sábanas, por la suavidad de mi lecho, por lo muelle de las almohadas que me sostienen y hasta por esos vidrios deslustrados que me amortiguan la luz del sol.

Hizo un breve silencio para dominar un gesto de dolor; luego, dijo:

—Apenas puedo creer que esta enfermedad me haya puesto así. Parece que he corrido muchas leguas sin tomar aliento. . . Lulú, quisiera acostarme. Échame algo en los pies. Casi no los siento. Ahora salgan y déjenme reposar un rato.

Todos obedecieron.

—¿No será conveniente llamar un sacerdote? —dijo Agustinita asustada.

Nadie se atrevió a responderle.

Lulú, que no se podía mantener quieta un instante, regresó a la alcoba.

—¿Saben ustedes lo que ocurrió anoche en el restorán de Chapultepec? —pronunció Archibaldo con manifiesta turbación.

—¿Quién va a ocuparse de esas cosas ahora, hombre de Dios? —protestó Agustinita.

—Es que se trata de algo muy grave y que atañe directamente a la familia.

—¿A nosotros?

—En una riña de carrancistas ebrios, Pascual resultó herido de gravedad.

—¿Pascual?

—¿Herida mortal? . . . ¡Mamacita! . . .

—Archibaldo, dínos toda la verdad. ¿Pascual ha muerto?

—Sí —respondió secamente Archibaldo a las exclamaciones contradictorias y trágicas de Agustinita y Francisco José.

—¡Ha muerto, madre!

—¡Ha muerto, Francisco José! . . .

Se cambiaron una mirada ardiente.

—Vamos al instante, madre.

Un grito desgarrador los hizo precipitarse a la alcoba.

Aquella cara de asceta, enjuta y amarilla, aquellos ojos oscuros donde acababa de arder intensa llama espiritual, aquella cabeza nimbada de canas hundíase dulcemente en albos y blandos cojines.

Archibaldo se acercó, piadosamente lo besó en la frente, luego levantó su maxilar caído ya y lo mantuvo fijo por medio de un pañuelo.

Entonces se dibujó en los labios del difunto aquel pliegue que le era habitual y brilló un instante más su sonrisa de bondad y suave ironía.

Cuando Archibaldo volvió su mirada en torno, sólo Lulú le acompañaba. De rodillas al pie del lecho, levantaba la frente, abiertos los ojos al cielo: unos ojos grandes, inmensos, como el universo.

Vocabulary

The following types of words have been omitted from this vocabulary: (a) exact or easily recognizable cognates; (b) well-known proper and geographical names; (c) proper nouns and cultural, historical, and geographical items explained in footnotes; (d) individual verb forms (with several exceptions); (e) regular past participles of listed infinitives; (f) some uncommon idioms and constructions explained in the footnotes; (g) diminutives ending in **-ito** and **-illo** and superlatives ending in **-ísimo** unless they have a special meaning; (h) days of the week and the months; (i) personal pronouns; (j) most interrogatives; (k) possessive and demonstrative adjectives and pronouns; (l) ordinal and cardinal numbers; (m) articles; (n) adverbs ending in **-mente** when the corresponding adjective is listed; and (o) some simple prepositions.

The gender of nouns is not listed in the case of masculine nouns ending in **-o** and **-ón** and feminine nouns ending in **-a, -bre, -dad, -ez, -ión, -tad,** and **-tud.** A few irregular plurals, such as **veces,** are listed both as singular and plural. Most idioms and expressions are listed under their two most important words. Radical changes in verbs are indicated thus: **(ue), (ie, i),** etc. Prepositional usage is given in parentheses after verbs. A dash means repetition of the key word. Parentheses are also used for additional explanation or comment on the definition.

Many of the above criteria were not applied in an absolute fashion. Although the student is strongly urged to make "educated guesses" at the meanings of words because of the unusual literary style of the author, where it seemed likely an average student might not understand a particular usage of the word and/or item, it was included.

ABBREVIATIONS

adj.	adjective	*ger.*	gerund	*path.*	pathology
adv.	adverb	*impv.*	imperative	*pl.*	plural
art.	article	*ind.*	indicative	*prep.*	preposition
Am.	Spanish-American	*indef.*	indefinite	*pres.*	present
arch.	architecture	*inf.*	infinitive	*pret.*	preterite
aug.	augmentative	*interj.*	interjection	*pron.*	pronoun
aux.	auxiliary	*lit.*	literal	*R.R.*	railroad
coll.	colloquial	*m.*	masculine	*sing.*	singular
conj.	conjunction	*Mex.*	Mexican	*subj.*	subjective
e.g.	for example	*mil.*	military	*U.S.*	United States
f.	feminine	*n.*	noun	*v.*	verb
fig.	figurative	*obs.*	obsolete	*var.*	different form
		p.p.	past participle		

abalanzar to fall upon like an avalanche
abandono abandonment
abanico *adj.* fan-shaped
abarrotero (*Am.*) grocer
abatido downcast, dejected
abigarrado incoherent, confused
abismado sunken, caved in
ablandar to soften
abnegado subjected; lowly
abochornar to burn up, overheat; to mortify
abogado lawyer
abolengo ancestry
aborrecer to detest, hate
abotagado bloated, swollen
abotonar to button
abrazar to embrace
abrazo *m.* embrace
abrigo shelter, coat; ——— **de pieles** fur coat
abril: quince ———**es** fifteen years old
abrillantado shiny
abrir to open; ———**se (a)** to open up (to); ———**se paso** to force one's way
abrumar to oppress, crush, overwhelm
absorber to use up, absorb (attention)
absorto absorbed, entranced
abuelo grandfather; ———**s** ancestors, grandparents
abundoso abundant
abyección abjectness
abyecto abject, lowly
acá around here, here
acabado complete, perfect, finished
acabar to end, complete, finish; ——— **por** + *inf.* to finish, end up by; ——— **de** + *inf.* to have just + *p.p.;* ——— **de** + *inf.* to finish + *ger.*
acalambrar to contract with cramps (said of muscles)
acallar to quiet
acariciar to caress
acarrear to cart, carry along
acaso chance, accident, perhaps; **al** ——— at random
acaudalado rich, well-to-do
acceder to accede, agree, consent
acción action; share (of stock); ———**es mineras** mining stock
acentuar to accentuate, emphasize
acera sidewalk
acerado steel (pertaining to color)
acerca de about, with regard to
acercar to come near; ———**se** to come up to, approach
acero steel (color); **hoja de** ——— sheet of steel
acertar (ie) (a) + *inf.* to happen (to) + *inf.*
acibarado embittered
acierto good guess
aclarar to brighten; ———**se** to clear up
acoger to welcome, receive
acogida welcome, reception
acogotar to knock down by grabbing by the back of the neck
acompasado rhythmic, measured
aconsejar to advise, suggest
acontecimiento happening, event
acordar (ue) to remind of, to agree upon; ———**se de** to remember
acorralar to corner
acostarse (ue) to lie down, go to bed
acostumbrar to accustom; ———**se** to accustom oneself, get used to
acre *adj.* acrid, sour
acrecentar (ie) to increase (appreciate in value)
acrecer to enlarge
acreedor *m.* creditor
acto act, event; **en el** ——— at once
acudir to answer; to come up to; to produce; to come to the rescue
acuerdo agreement
achaparrado stubby, runty
achicharrar to shrivel
achinar to intimidate, scare
adagio adage
adecuado suitable, fitting
adelantarse to get ahead of
además moreover, besides; ——— **de** in addition to, besides
adepto follower
adeudo debt
adinerado moneyed, wealthy
aditamento addition
adivinar to guess, figure out
adorno adornment

adueñado conscious
adulador *m.* flatterer
advertir (ie, i) to notice; ——**se** to notice, become aware
afán *m.* anxiety
afecto emotion, affection
afeitado clean-shaven
afeitar to shave
afición fondness, liking
afilar to sharpen
afligir to afflict
aflojar to loosen, relax
afluir to flow
afuera outside
agigantarse to become huge
agitar to shake; ——**se** to be agitated, get excited
aglomeración agglomeration, crowd
aglomerar to agglomerate, assemble
agobiar to weigh down
agotar to wear out, use up; to exhaust; (*fig.*) to run through a fortune
agradecer to be thankful, be grateful
agradecimiento thankfulness, greatfulness, gratitude
agraviar to offend
agregar to add
agrio sour, bitter
agrupar to group
agua water, rain; *f. pl.* sparkle (of precious stones); —— **bendita** holy water
aguantar to bear, endure; ——**se** to restrain oneself
agudo sharp, keen
aguijón stinger, sting
águila americana ten dollar gold piece (U. S. currency)
aguinaldo Christmas bonus
agujerear to pierce, perforate
aguzado sharp pointed
ahogar to choke, oppress
ahora now; —— **mismo** right now
ahorcar to hang
ahuecado pursed (lips)
ahuecando making (the voice) deep and solemn
ahuecar to hollow
airar to anger
aire *m.* air; **darse** ——**s** to put on airs
aistá (*coll.*) **allí está; ahí está**
ajar to rumple
ajeno another's; **ser** —— **de** (*coll.*) to be unaware of; not affiliated with
ajustado close-fitting, tight
ala brim (of hat); wing
alacrán *m.* scorpion
alambre *m.* wire
alameda tree lined walk
alargar to reach *or* hand a thing to another
alarido shout, yell, scream
albergue *m.* shelter, refuge
albísimo very white
albo snow white
alborotado excited
alborozo joy, merriment
albricias *f. pl. interj.* good news!
alcance *m.* pursuit, consequence, reach; **dar** —— **(a)** to catch up (with)
alcanzar to catch up to, reach; to catch (one's breath)
alcoba bedroom
alegrarse to cheer, be glad
alejarse to move aside, move away, walk off
alemán (*n. m. and f. and adj.*) German
alentar (ie) to hover
aletargarse to be lethargic, sleepy
aleteo fluttering
alfiler *m.* pin
alfombra carpet
algarabía jabber, din, clamor
alhajita (*dim. of* **alhaja**) little jewel
aliar to ally
aliento courage, breath
alimentación nourishment
alimentarse (ie) to feed
alimento food, nourishment
alinear to line up
alivio alleviation, improvement
alma soul, living soul (person), "heart"
almacén *m.* warehouse, store
almagrado red ocher (color)
almena merlon (*arch.*)
almibarado (dressed in) fancy, effeminate style

almohada pillow
alocado wild, reckless
alojamiento lodging, housing
alojar to lodge; ———**se** to be quartered
alquilar to rent, let
alrededor around; ——— **de** around, about; *m. pl.* vicinity
alterar to alter, disturb; ———**se** to become agitated
altercado dispute, quarrel, bickering
altivez pride, haughtiness
alto high, loud; noble, eminent
altura height, altitude
alucinado deluded person
alucinarse to be deluded
alumbrado lighting system
alumbrarse to light, illuminate
alza *m.* rise, advance (*e.g.* in prices)
alzar to lift, raise (high); to look up; to shrug (shoulders); ———**se** to rise
allanar to level, smooth
amamantar to rear, to bring up
amanecer to awaken; **al** ——— at daybreak
amantísimo most lovingly
amapola poppy
amargo bitter
amargura bitterness
amarillento yellowish
amarillo yellow
amarrar to tie up
amasar to knead
ambiente *m.* environment, atmosphere (*fig.*)
ámbito size, scope
ambos *adj. and pron.* both
ambulante *adj.* itinerant
amembrillado yellowish (like a quince)
amenaza threat (of rain)
amenazador *adj.* threatening
amenguar to lessen, diminish
americano usually refers to "Latin American" or "Spanish American"; "American" is **norte americano**
ameritado illustrious
amistad friendship
amo master
amontonarse to heap, pile
amortiguarse to muffle, deaden (tone), dim (light)
ampararse (de) to seek protection (of)
amplio full, roomy
ampollada blister
anca rump
ancho broad, wide
anda (*coll.*) that's right! of course! sure! hurry up!
andén *m.* railway platform
andrajo rag, tatter
andrajoso ragged, raggedy
anegar to flood
angosto narrow
angustiar to distress, afflict
angustioso grievous, worrisome
anhelante *adj.* eager, panting
anhelo desire
anidar to dwell, live
anillo ring
anochecer to grow dark
anonadar to humiliate, crush (spiritually)
ansia anxiety, eagerness
antellevar (*Mex.*) *see* **atropellar**
anteojos *m. pl.* eyeglasses
anterior previous
antojarse to take a fancy to *or* for
antojo whim, fancy
anular to nullify, revoke
añicos *m. pl.* pieces, shreds
apagado weak (said of the voice)
apagar to put out, extinguish; ———**se** to go out (lights, electric current)
aparador *m.* store window; sideboard
aparejado suitable
apariencia appearance, aspect
apartar to set aside; ———**se** move away
apenas *adv.* scarcely, hardly, just as; *conj.* as soon as
apergaminado leathery, dried up
apiadarse (de) to have pity (on)
aplanchar to iron
apoderar to empower, authorize
apoderarse (de) to take possession (of)
apoplético: chinche ——— (*fig.*) a blood-gorged bedbug
aporrear to drag out
apostar (ue) to bet; ——— **a que** to bet that

apreciar to increase
aprecio appreciation, esteem
aprehensión (law) seizure
apresurar to hasten, hurry; ———**se a** + *inf.* to hasten to + *inf.*
apretado dense, tight
apretón sudden pressure; ——— **de manos** handshake
apretujarse (*coll.*) to keep on squeezing
aprieto difficulty
aprisa fast, quickly
aprisionar to hold fast
aprovechar to make use of; ———**se de** to take advantage of
apuesto elegant
apuntador *m.* prompter
apunte *m.* prompter (theater); notation
araña spider
arbiter elegantiarum (Latin) judge of elegance
arbitrar to contrive; ———**se** to manage well
arboleda grove (thick group of trees)
arca coffer, chest
arco arc, arch
arder to burn
ardiente *adj.* burning
ardoroso enthusiastic, fiery
armado loaded (a weapon); armed (men)
armatoste *m.* hulk, (crude, heavy machine)
armonía harmony
armonioso harmonious
aromoso fragrant
arquería series of arches
arraigar to take root
arrancar to pull up, tear away, force out
arranque *m.* outburst, impulse
arrasado leveled, smooth
arrasarse to fill with tears
arrastrar to drag
arrebatar to carry away, snatch; ——— **a** to snatch from
arreglar to arrange, settle; to put in order
arrepentimiento repentance
arrepentirse (ie, i) to repent (some deed)
arresto boldness, daring
arribo *m.* arrival
arrimar to move up, bring close; ———**se (a)** to come close (to)
arrogante arrogant, imposing (*fig.*)
arrojar to throw, hurl; ———**se** to throw oneself
arrollar to crush
arruga wrinkle, crease
arrullar to lull to sleep
artero sly, cunning
artesonado ceiling
artista *m. and f.* actor, actress
asa handle (of a cup)
asaltar to assault, overtake
asalto assault, attack
ascenso ascent
asceta *m. and f.* ascetic
asco loathing, disgust
ascua piece of glass (*fig.*) (glowing like an ember)
asegurar to assure, state, claim
asentarse (ie) to settle (said of a liquid); to be suitable
asentir (ie, i) to be in agreement
aseo neatness, tidiness
asesinato assassination, murder
asestar to deal (a blow); to try to hurt
así so, thus
asiento seat
asir to seize, grasp
asomar to show (oneself); ———**se a** to look out of, appear at
asombrar to frighten; ———**se** to be amazed at
asombro astonishment, amazement
asombroso amazing, astonishing
aspecto appearance, look
áspero bitter, coarse
áspid *m.* asp
aspirante *m. and f.* applicant
aspirar to inhale
asumir to assume
asunto matter, affair
asustar to scare, frighten; ———**se** to be frightened
atañer to concern
atardecer to grow late in the afternoon
atenacear to tie down
atender (ie) to pay attention to, take care of

atento kind, courteous, polite
ateo *adj.* atheistic; *m. and f.* atheist
aterrar to terrify; to frighten
atolladero mudhole; difficulty
atónito overwhelmed, aghast
atormentarse to torment
atraer to draw close
atrapar to catch
atrás back, behind, past; ——— **de** back of
atravesado crossway
atravesar (ie) to cross, go through
atrever (a) to dare; ———**se (a)** to dare to; to undertake
atribuir to attribute, blame
atontamiento bewilderment
atropellar to run over, knock down
atropello abuse, insult
aturdir to stun, bewilder, daze
audífono earphone
aullar to howl
aumento increase
aun, aún yet, still; even
aunque *conj.* although, even though
auriga *m.* coachman
ausencia absence
ausente *adj.* absent-minded
auxilo help, aid
avance *m.* advance
avanzar to advance, move forward
ave *f.* bird
aventurarse to take a risk
avinagrado acid
avisar to inform, announce
aviso information, notice
avispa wasp
avizor *adj.* spying
azar: al ——— at random
azorar to excite
azotea flat roof (usually concrete)
azul blue
azulejo glazed tile

baba drivel, spittle
babeante slobbering, driveling
babieco (*coll.*) simple, ignorant
baboso dunce, stupid
bagaje *m.* baggage
baile de etiqueta formal dance
bajo under, low; low (under one's breath)
bala bullet
baladí *adj.* frivolous, trivial
balazo shot (bullet)
bamboleante *adj.* wobbling, reeling
banco bank; *f.* bench
bandera flag
bandizo gang of bandits
bandolero brigand, robber, highwayman
banquete *m.* banquet
barandal *m.* railing, balustrade
barba chin, beard, whiskers
barrer to sweep
barrio neighborhood, section (of a town)
barro cocido baked earthenware
barullo uproar, tumult, din
bastar to be enough, suffice; **¡basta!** enough!
basto clumsy, gross
bastón cane
basura rubbish, garbage; low class of people (*fig.*)
bata dressing gown; ——— **de baño** bath robe
beatitud *adj.* beatific
bendecir to bless
bendición blessing
beneficio income
bergante scoundrel
bestia *f.* beast (*also fig.*); animal; *m. and f.* dunce, boor
bien *adv.* well; **y** ——— now then; **no** ——— just as; *n. m.* good; *m. pl.* ———**es** wealth, property, possessions; ———**es raíces** real estate
bienhechora beneficent
bigote *m.* moustache
billete *m.* ticket; bill (paper money)
bizarrería gallantry
blanco *adj.* white; **ropa** ———**a** linens (sheets, tablecloths, towels, etc.); *n. m.* blank (space)
blancura whiteness
blando soft
blanquear to turn white
blanquillo (*Mex.*) egg
blasfemar to curse
boca mouth; opening
bocal *adj.* narrow mouthed
bocando puffs (of air)
boceto sketch, outline
bocina receiver (telephone)

bodega wine cellar; warehouse
bofetada slap in the face
bola ball; (*Mex.*) tumult (confusion caused by a crowd)
boleto ticket
bolillo roll (bread)
bolsa purse, bag
bolsillo pocket
bondad kindness, goodness; **tener la ——— de** + *inf.* to be good enough to + *inf.*
bondadoso kind, good
boquiabierto open mouthed
borbotar to splash out, bubble forth
borde *m.* edge
borla tassel
borracho *adj.* drunk; *n. m.* drunkard
borrar to blot out
borrasca rainstorm; **——— de tierra** whirling dust
borrico ass, burro
borroso blurred, muddy
boscaje *m.* scene (landscape)
bosque *m.* park
bosquejo sketch, outline
bota boot, shoe
botica drugstore, dispensary
botón button; **——— eléctrico** door bell
bóveda dome (ceiling)
bramar to roar
bravura bravery
brevedad: con la mayor ——— as soon as possible
brillante *adj.* bright, shining; *n. m.* diamond
brillar to sparkle, shine
brío determination, spirit, liveliness
broma joke
bromear to joke
bronce *m.* bronze (object); **moneda de ———** bronze coin; *m. pl.* bells *and or* bronze *objets d'art*
brotar to sprout, burst forth
bruces *m. pl.* lips; **dar de ———** to run into the face of
bruma mist
brusco sudden, rough; sharp (curve)
buen(o) good; **un ——— para nada** a good for nothing; **———os días** good morning
bugambilia bougainville
bulto form, body, package
bullicioso bustling, rumbling
burlarse de to scoff at, make fun of
busca *n. f.* search, pursuit
butaca arm chair, easy chair

cabal *adj.* exact, complete, intact; *adv.* exactly; **estar en sus ———es** to be in one's right mind
caballeriza stable
caballerosidad gentlemanliness
caballo de silla saddle horse
cabellera hair
cabelludo hairy, shaggy
caber to fit, to have enough room; **no cabe duda** there is no doubt
cabida: dar ——— a to make room for
cabo stub
cabús *m.* caboose
cada each, every; **——— vez más** more and more
cadena chain
caducor worn out; feeble
caer to land (*coll.* in a place); to fall, strike (lightning); **——— mal** to be unbecoming; **——— bien** (*coll.*) to make a hit (with someone); to take a liking to
caída *f.* fall
caja box; cashier's office; **——— fuerte** safe, strong box; **——— de empaque** packing box
cajero cashier
cajón drawer (of a dresser *or* desk)
calaña character, caliber
calandria songbird
calar to pull (hat down on one's head); to pierce
calce *m.* (*Am.*) foot of a diagram
caldo broth, soup
cálido *adj.* warm (*fig.* color)
calificativo *n.* charge
calor *adj. and n. m.* heat, warmth (*fig.*)
calosfriarse to become chilled
calosfrío chill
caluroso warm, hot (*fig.* warm); enthusiastic
calvario (*fig.*) cross (suffering)
calzada avenue, street
calzoncillo underwear (drawers)
callar to hush up, keep silent

calle *f.* street; **dejar** or **quedar en la ———** (*coll.*) to be at the end of one's livelihood
callejón narrow street
callejuela narrow street
callo callus, corn
calloso callous
Cámara de Diputados Congress
camarista maid
cambio change; exchange; **en ——— de** instead of; **——— de vía** (*Am.*) railroad switch
caminar to walk, go, travel
camino: a medio ——— halfway; **en ———** on one's way; **——— real** main highway
camión truck, bus
campanada ringing of the bell
campanario bell tower
campanillazo deep throated bell
campesino peasant
cana gray hair; **puras ———s** white haired
canalla *f.* (*coll.*) canaille, riffraff, rabble
canasto hamper
candilón street light
canelo cinnamon colored
cansancio tiredness, weariness
cansar to tire; **———se** to become tired
cantera stone work
cantería stonework, masonry
cantidad quantity
caña cane (walking)
cañón barrel (of gun)
caoba mahogany
capaz *adj.* (*pl.* **capaces**) capable; **——— de** capable of
capital *f.* city; *m.* funds
capricho whim, fancy
captar to catch; **———se** to attract, win
caracoles *interj.* confound it! good gracious!
carcajada outburst of laughter; **a ———s** to laugh uproariously; **lanzar una ———** to laugh out loud (uproariously)
cárdeno blue-black (purplish)
cargador *m.* porter
cargao (*coll. for* **cargado**) loaded
cargar to load
caricia caress
caridad charity; **hacer la ——— de** have the goodness to
carne *f.* meat, flesh (the body)
carnero lamb, mutton
carretero teamster (pertaining to a wagon)
carrillo cheek
carro car (*R.R.*) **——— de ferrocarril** railroad car; **——— de ganado** cattle car; **——— de pulque** wagon (hauls **pulque**)
carruaje *m.* carriage
carta letter; menu
cartera wallet, leather case
cartucho cartridge (of a gun)
casa house, hotel, business; **estar en su ———** to be welcome
casaca cutaway coat
casadero marriageable
cascada cascade
caso chance, incident, fact, case; **hacer ——— de** (*coll.*) to pay any attention to, take into account
casona large house
castamente lightly
castaño chestnut colored
castigar to punish
castigo punishment
castillo castle
casto chaste, pure
catalogación cataloguing
catarata waterfall
categoría class (social standing)
cauce *m.* course
caudal *m.* wealth, fortune
cautivar to win, charm, captivate
cebolla onion
ceder to yield, submit; **——— el paso** to allow to pass
ceja eyebrow
celoso jealous
ceniza ash
centro down town; center
cenzontle *m.* song bird
ceñir (i) to encircle
ceño frown
ceñudo stern, frowning
cepillo brush
cera wax
cerca near, close; **de ———** here; **——— de** about (a certain hour)

cercanías *f. pl.* neighborhood, vicinity
cercano near, close
cerdo hog
cerdoso bristly (hair)
cerebro brain
cerillo match (small match coated with wax)
cerradura lock
cerrar (ie) to close, shut, lock, bolt
cerro hill
cesar to cease, stop
cesto basket
cicatrizar to heal
ciencia knowledge
cifrar la esperanza en to place one's hope in
cima top (of tree)
cimiento foundation
cínicamente cynically
cintilar to sparkle
cintura waistline
cirio wax candle
ciruelas pasas prunes
cita appointment, engagement
citar to make an appointment
ciudadano *m. and f.* citizen; *adj.* (pertaining to the) city
clamar to cry out, exclaim, cry out for
clamoroso crying, shrieking
clarín *m.* kind of trumpet, bugle; tropical bird (thrush)
cláusula clause
clavado studded with nails; pierced
clavar to fix (eyes, attention); to nail, fasten
clavo nail
cobarde *adj.* cowardly, timid
cobertizo portico
cobrador *m.* collector
cobrar to collect
cocer to boil, cook
coche *m.* automobile, taxi; ——— **de sitio** (*Am.*) taxicab
cocodrilo crocodile
codicia greed
codo elbow; ——— **a** ——— side by side
cofrade *m. and f.* boon companion
coger to take hold of, catch
cohibir to restrain, restrict
cojín *m.* cushion
cola tail end
colarse (ue) to squeeze through, pass (steal) through
colchón mattress
cólera anger, rage
colgadura hangings, drapery
colilla butt (cigarette)
colmar to shower with, overwhelm with
colmillo eyetooth
colocar to place, locate; ———**se** to find a job, get placed
colonia district (of the city); **agua de** ——— eau de cologne
combo bulging
comedia play; **hacer la** ——— to pretend, make-believe (*coll.*)
comestible *m.* foodstuff, food
cometer to commit (a crime *or* an error)
comicucho mediocre comedian
comienzo *m.* beginning
comisaría (*Am.*) police station
comisión errand, commission
como like, as, about; ——— **que** because; **¡cómo!** *interj.* how is that possible!
comodidad convenience, comfort, advantage
compadecerse de to pity, feel sorry for
comparar to compare
compás *m.* measure (music)
complot *m.* plot, scheme
componer to put in place, to handle (a situation)
composición composure
comprador *m.* buyer, purchaser
comprimir to compress, restrain
comprobante *m.* document
con with; ——— **que** whereupon, and so
concebir (i) to conceive
concesión aduanal reduction in import duty
concordia harmony
concurrir to attend
condenar to condemn
condimentado seasoned
condiscípulo fellow student
condolerse (ue) de to sympathize with
conducto: por ——— **de** through

confiar to entrust; ———**se** to trust in
confluir to flow *or* come together
confundir to confuse, mix
congénere *m. and f.* fellow, confrere
conjetura conjecture
conmiserativo pitying
conocedor *m.* expert; *adj.* knowing, expert (as a connoisseur)
conquistarse to win for oneself
consciente conscious
conseguir (i) to get, obtain
consejero member of the board of a bank; advisor
consejo advice
consentir (ie, i) to pamper, spoil
conserje *m.* janitor, porter, concierge
conservar to keep, retain; ———**se** to take good care of oneself
consiguiente *adj.* consequent; **por** ——— therefore, consequently
constancia proof
constar to be evident
consternar to dismay, terrify
constreñir to force, oppress
consuelo consolation, comfort
consultar to discuss, advise
consultorio doctor's office, clinic
consumación termination, extinction
contabilidad accounting
contagiar to become infected
contagio contagion
contar (ue) to relate; to count; ——— **con** to rely on
contiguo adjoining
contraerse to contract; to wrinkle, frown
contraste *m.* resistance, contrast
contrato contract, lease
contribución tax
contundente *adj.* forceful
conturbar to upset, trouble
convencer to convince
conveniente *adj.* proper
convenio agreement
convenir (ie, i) to agree, be suitable, fitting, proper
convertir (ie, i) to convert, turn into; ———**se en** to turn into, become
convoy *m.* train
copa goblet, drink (of wine *or* liquor)
copeteado (*Mex.*) topped off with, chock-full
coqueta *adj.* flirtatious; ——— **escalinata** (*fig.*) showy little flight of steps
coraje *m.* anger
corazón heart; ——— **bien puesto** (*lit.*) has no fear
corazonada presentiment, hunch
corbata necktie, cravat
corcovado hunchbacked
cordón cord; thick twisted belt of a bathrobe
corista chorus girl
corneta bugle
Correo Post Office
correoso leathery, tough
correr to run; to draw (a curtain); ——— **peligro** to take a risk
corriente *adj.* ordinary, common; **poner al** ——— **(de)** to acquaint (with), to inform (about)
cortar to cut (off)
cortejar to woo
cortés *adj.* courteous, gracious, polite
corto *adj.* short; ———**s minutos** few minutes
cosa thing; **como si tal** ——— (*coll.*) as if nothing had happened; ——— **de** a matter of
cosecha crop
cosmético dye (for hair)
costado side
costeño coastal
costumbre custom, habit
crecer to grow, increase; ———**se** to assume more authority *or* importance
creciente *adj.* increasing
crepitante *adj.* crackling
crepúsculo twilight
crespo curled
criado servant; ——— **de librea** servant in full livery
crisálida chrysalis
crispar to twitch
cristal *m.* crystal, glass; pane of glass, window; display window (of a store)
cristalino crystal clear, transparent
croque (*coll.*) **creo que**
crucero railroad crossing

crudo rough, distinct, crude (quality)
crujir to creak
cuadrado square (shaped)
cuajo foundation
cualidad quality, characteristic
cuando when, whenever; ——— **menos** at least; **¿cuándo?** when?
cuanto as much as, whatever; ———**s** as many; **en** ——— **a** as to, as for; **en** ——— as soon as; **¿cuánto?** how much? how many?; ——— **más . . . tanto más** the more . . . the more
cuarentona a forty year old
cuartel *m.* (*mil.*) barracks
cuarto *m.* room; ——— **de hora** quarter of an hour
cubiertos *m. pl.* flatware
cubo bucket
cucharada spoonful; *pl.* liquid medicine
cuchilla knife
cuello neck, collar
cuenta account, calculation; **darse** ——— **de** (*coll.*) to realize; **tomar en** ——— to take into account; **por** ——— in value
cuerpo body; ——— **a** ——— hand-to-hand
cuestas: a ——— on one's back *or* shoulders
cuidar to care for, watch over, look after
culata butt (of gun)
culebra snake
culebrear to wriggle
culpa fault, blame; **tener la** ——— to be to blame
culpable *adj.* blameworthy, guilty; *n. m.* culprit
culpar to blame, accuse
cumplido complete
cumplir to perform; to fulfill, keep (a promise)
cuñado brother-in-law
cúpula cupola; turret
curado the flavoring of celery, strawberry *and/or* pineapple that is sometimes added to the **pulque**
cúspide *f.* peak
cutis *m.* skin (of face)
cuyo, cuya whose
chacal *m.* jackal
chaleco vest
chamaco youngster
champaña champagne
champurrado *m.* mixture
chapa veneer
chapuzón ducking (sudden dip in water)
charco puddle
charla chat
charlar to chat, talk
charlatán *m.* chatterbox
charol *m.* patent leather
chato flat
chinche bedbug
chispa spark
chistar to speak; **no** ——— to not say a word
chitón *interj.* hush!
chivo goat
chocante *adj.* disgusting
chocar to irritate, disgust
chocarrería coarse joke
chofer *m.* chauffeur
choque *m.* impact, clash
chorrear to drip
chubasco rain squall
chupar to smack (one's lips)
chusma mob, rabble

daño hurt, harm, damage, injury; **hacer** ——— to do harm
dar to give; ———**se** to give oneself; to occur, strike (*e.g.* **dan las tres** it is striking three o'clock); ———**se cuenta de** (*coll.*) to become aware of; ——— **voces** to call aloud; ——— **de comer** to give something to eat; ——— **la gana** to feel like; ——— **con** to find, come across; ———**se aires** to put on airs; ——— **de bruces** to run into the face of; ——— **entrada a** to admit, give an opening *or* chance to; ——— **lástima** to feel sorry for (someone); ——— **razón de** to give an account of; ——— **oído** to listen favorably; ——— **prisa** to hurry, make haste
dardo de alacrán scorpion's sting
datar (de) to date (from)

dé *1st sing. pres. subj. of* **dar**
debajo below; ——— **de** under, below
debatirse to struggle
deber to owe; *v. aux.* must; ——— + *inf.* ought to, should + *inf.* (to express necessity *or* obligation); *n. m.* duty
debidamente duly, properly
debido a owing to
débil *adj.* weak
debilidad weakness
decantado exaggerated
decente *adj.* respectable
decir to say; **al** ——— **de** according to; **querer** ——— to mean, signify; **dar que** ——— to give rise to criticism; *n. m.* "say-so"
declarar to testify
decorar to decorate
dedicar to devote (one's time)
dedo finger
dejar to leave, abandon; to permit; ——— **en blanco** to leave a blank space; ——— **de** + *inf.* to stop + *ger.;* ———**se** + *inf.* to permit, allow oneself to + *inf.;* to allow oneself to be + *p. p.*
delante in front; ——— **de** ahead of
delgado thin
delicado acute, delicate
delicioso delightful
delirante *adj.* delirious
delirar to be delirious
demacrar to become worn out, emaciated, gaunt; to waste away
demás other; **los** *or* **las** ——— the others, the rest; **por lo** ——— furthermore, besides; **lo** ——— the rest; **por** ——— too much; in vain
demasiado too much, too
demostrar (ue) to demonstrate, show
demudarse to be changed, change in expression
dentadura set of teeth
denuedo bravery, daring
departamento apartment, department
dependiente *m. and f.* employee
depositar to entrust
derecho *m.* privilege, right; **derechito** *adj.* straight ahead; **a la derecha** turn to the right; **al** ——— **y revés** inside out
derramar to spill, shed
derribar to demolish, tear down
derrotado defeated
derrotero route, course
derrumbamiento headlong plunge
desabrido insipid, unpleasant
desabrimiento rudely
desaforado excited
desagradable *adj.* disagreeable, unpleasant
desahogar to relieve, recover
desaire *m.* rebuff, snub
desamparar to abandon, forsake
desapaciblemente unpleasantly
desaparecer to disappear
desaparición disappearance
desarmar to dismount, disarm (*fig.*)
desarrollo development
desbarajuste *m.* disorder
desbordante *adj.* overflowing
desbordar to overflow
descabezar to behead
descalabradura bump on the head
descansar to rest
descanso rest
descarga eléctrica flash of lightning
descargar to unload; to deal (blows)
descaro effrontery
descarrilar to derail
descenso decline
descerrar (ie) to open
descerrajar to break open
descifrar to figure out
descocado insolent
descolorido pale
descomedido excessive; disrespectful
descompuesto *adj.* out of order; altered
desconcertante unrestrained, surprising
desconcertar (ie) to disturb, baffle
desconfiado suspicious
desconfianza distrust
desconocer to not recognize; to repudiate
desconocido *n. m.* stranger; *adj.* unknown
descortesía impoliteness
descubierto uncovered, bareheaded
descubrir to discover, find out
descuidado careless

descuidar to not bother, not worry
desde since, from; ——. . . **hasta** from. . . to; —— **hace** since, for (*e.g.*, **desde hace dos años** for two years)
desdén *m.* scorn, contempt
desdeñar to scorn
desdeñoso scornful, disdainful
desdoblar to unfold
desembolso expenditure
desempeñar to fulfill, carry out
desencadenamiento unleashing
desencajado discomposed
desencanto (*var. of* **desencantamiento**) disillusionment
desenlace *m.* outcome
desentonar to be out of place; to be inharmonious
desenvoltura free and easy manner
desenvolvimiento development
desesperante *adj.* exasperating
desfile *m.* parade
desfondar to break the bottom out (of a chair)
desgarrado clawed (in a struggle)
desgarrador *adj.* rending
desgracia misfortune
desgraciado *adj.* unfortunate; *n. m.* scoundrel, rascal
deshacerse en to lavish (praise); ——**se de** to let go of, get rid of
deshecho (*p.p. of* **deshacer**) disarranged, disheveled
desierto deserted
desiguales *m. pl.* odds and ends
deslizarse to slip, let drop
deslumbrador *adj.* dazzling, bewildering
deslustrado dull
desmán *m.* excess, misbehavior
desmayadamente *adj.* languidly
desmoronarse to crumble
desnudo naked, bare
desocupado vacant; unemployed
despachar to send off
despacho office
desparpajar to take apart sloppily
desparramarse to spill, be spilled
despavorido terrified
despedir (i) to emit, send forth; ——**se (de)** to take leave, say good-by (to)
despegar to open
despejado clear, unconstrained
desperezar to stretch one's legs and arms
desperfecto slight damage
despertar (ie) to awaken, startle
desplante *m.* (*Am.*) boldness, impudence
desplomarse to fall in a faint, collapse
despojar to dispossess, take; ——**se de** to relinquish, divest oneself of
despojo plunder, dispossession
desportillar to chip
despreciar to cast aside
desprecio scorn, contempt
desprenderse to come forth from, break away
desprendimiento generosity, detachment
desquijarado slack-jawed
destacarse (*fig.*) to stand out, be distinguished
destello sparkle
destempladamente agitatedly
destino destiny; employment
desusado out-of-date
devanar to wind, unravel
desvanecer to faint
desvelar to go without sleep
desvencijado rickety
desventura misfortune
desventurado unfortunate
desviar to swerve; ——**se** to turn aside
detallar to tell in detail
detener (ie) to hold, pause, stop; ——**se a** + *inf.* to stop to + *inf.*
determinar to bring about, cause
detrás (de) behind, in back (of)
devolución restitution
devolver (ue) to return, give back
devotamente devotedly; devoutly
di *2nd sing. impv. of* **decir**
dí *1st sing. pret. of* **dar**
día *m.* day; **el medio** —— noon
diagnóstico diagnostician (physician)
dibujar to draw; ——**se** to be outlined
dicha *n. f.* happiness
dichoso happy, fortunate

diente *m.* tooth; **repetir (i) entre ——s** to keep repeating one's words (unintelligible) (*fig.*)
diestra right hand
diferencia difference; **a —— de** unlike
difunto, -a deceased
dignarse + *inf.* to condescend to + *inf.*
digno worthy, dignified
dilación delay
dilapidar to squander
dilatar to delay; **——se** to expand, extend, dilate
dintel *m.* threshold
dique *m.* dike, dam
dirigir to direct
disculpa excuse, apology
disculparse to excuse oneself, apologize
discurrir to flow
discurso speech, discourse
diseminarse to scatter, spread
disfrutar to enjoy; **—— de** to enjoy; to have the use of
disgusto disgust, quarrel
disimulo indulgence, pretense
disipar to dissipate, disappear
disparado flung away (like a shot)
disparar to shoot; **——se** to dash off
disparate *m.* foolish remark
disparo shot (from a gun)
dispensar to excuse, pardon
dispersarse to disperse, scatter
disponer to get ready, prepare, order; **—— de** to have at one's disposal
disposición arrangement, plan
dispuesto (*p.p. of* **disponer**) prepared, favorable, inclined to
distanciado further apart
distanciar to place at a distance; **—— las voluntades** to fend off good will
distenderse (ie) to unwind itself
distracción absent-mindedness
distraer to distract (attention)
distraídamente absent-mindedly
disuadir to dissuade
divertir (ie, i) to amuse; **——se** to have a good time
divulgar to divulge
doblarse to give way, bend over
docena dozen
doctoralmente authoritatively
doliente *adj.* sorrowful, sad
doloso deceitful
dominar to suppress
don *m.* gift
doncella housemaid
dondequiera anywhere
dote *m. and f.* talent, gift
ducha shower bath
duda doubt
dudar to doubt
dueño owner, proprietor; **—— de sí** self-controlled
durar to last
duro harsh, rough, hard, unbearable, severe

ebriedad drunkenness
ebrio *adj.* drunk (*fig.*); *m. and f.* drunkard
eco *m.* echo
economía saving
ecuanimidad impartiality
echar to fling, toss; to hurl oneself; to put; **——se a** + *inf.* to begin to + *inf.*
efectivamente actually
efectivo: valores ——s negotiable securities
efecto effect; **a ——** for the purpose; **en ——** as a matter of fact; in fact
efusión warmth
elegir to select
elogio *m.* praise
elucubración consideration
eludiendo evading
emanar to emanate
embalsamado perfumed, fragrant
embarazoso hard to solve
embargar to restrain
embargo: sin —— however
embelesarse to be fascinated
embobecer to become foolish, get silly
embravecido angry, furious
embrollado tangled
emitir to issue
emocionado touched, moved
emotividad emotion
empacho embarrassment

empañado misty
empapar to soak
empedernido hard hearted
empellón *m.* push, shove; **a ——es** roughly
empeñar to pawn; **——se (en)** to insist (on), persist (in)
empeño insistence
empequeñecido made smaller
empinado sloping
empleadillo (*dim. of* **empleado**) **infeliz ——** ordinary employee
empleado employee
emplear to use
empleo employment, job
empobrecer to make poor; to impoverish
emprender to undertake
empurpurarse to turn red with rage
émulo, -a one who emulates
enajenación mental mental derangement
enardecer to get excited
encaje *m.* lace, lace work
encalado (*var. of* **encaladura**) whitewashed
encalvecer to become bald
encaminar to go; **——se** to be on one's way, to set out, walk
encadenarse to be linked together
encarecidamente insistently, eagerly
encargarse to take charge of
encarnar to become alive, to embody
encarrujar to crumble
encender (ie) to light (a cigarette, candle)
encendido excited, fiery
encerrarse (ie) to lock oneself in; to contain
encima: de —— on, on top of
enclavar to nail
encolerizar to anger, irritate
encomendar (ie) to entrust
encontrar (ue) to find; to find oneself, run into; **——se** to meet
encresparse to stand on end (hair)
encuentro *m.* encounter; **salir al —— a** to go to meet; to get ahead of
encumbrado influential
encurtido pickled
endeble *adj.* weak
endiosado deified, enamored
endurecer to harden
energía strength, effort; **de ——** quickly
enérgico lively, animated
enfermizo sickly
enflaquecido thinner
enfrentarse to meet face to face
enfrente: de —— opposite
engalanar to adorn
engañar to deceive oneself; **——se**
enguantada gloved
engullir to gulp down
engusanado worm-eaten
enjambre swarm
enjaular to cage
enjuto lean, skinny, dry
enmienda correction
enmohecido rusty
enmudecer to keep silent
ennegrecer to turn black
enojarse to get angry
enojo anger, annoyance
enramada cluster of trees *or* shrubs
enriquecer to enrich
enrojecer to redden, make blush
enronquecer to make hoarse
enroscarse to twist, coil
ensayo rehearsal
enseñar to show
ensimismarse to become absorbed
ensombrecerse to become gloomy
ensoñador *adj.* dreamy; *n. m.* dreamer
ensordecer to deafen
entarimado wooden floor (inlaid)
entender (ie) to understand; **——se con alguien** to speak with someone
enterarse to find out
entereza integrity
enternecido moved to pity, touched
enterrar (*i.e.*) to bury (*fig.*)
entornado half-closed
entrada arrival, entry; **dar —— a** to admit, give an opening *or* chance to
entrar to enter, to begin to be felt
entreabrir to half open
entrecerrar (ie) to half-close
entregar to deliver, hand over; **——se** to devote oneself
entrego (*coll. form in general use for* **entrega)** delivery

entretanto in the meantime
entreveri to glimpse, suspect
entreverarse to be intermixed
entrevista (*var. of* **entrevisto** *p.p. of* **intrever)** interview
entumecer to make numb
enviar to send
envidia envy
envidiable *adj.* enviable
envolver (ue) to wrap
envuelto (*p.p. of* **envolver**) wrapped
épico *adj.* (*fig.*) heroic
equidad sameness
equipaje *m.* baggage
equivocación mistake
equivocarse to be mistaken
erguir to raise; **———se** to swell with pride
eructar to belch
esbelto graceful, slender
escabullirse to sneak away
escalafón scale (showing position *and/or* seniority in a large business)
escalera stairs, ladder
escalinata little flight of steps
escalón step, rung
escama scale (of a fish)
escamoso scaly
escándalo scandal; **haciendo ———** behaving scandalously
escaramuza argument
escaso scant
escobeta brush, small broom
escolta escort (*mil.*)
esconder to hide
escondite *m.* hiding place
escotillón trap door
escribiente *m.* office clerk
escrito writing, document; **por ———** in writing
escritorio study, office, desk; **cortina de ———** cover of desk
escritura instrument (law); sworn statement; **——— de venta** bill of sale
escuadrón (*mil.*) squadron (cavalry)
escuchar to listen
escupir to spit
escupitajo (*coll.*) spit
escurrirse to slip away; to drip
esfuerzo effort
esfumarse to fade away
eslabón link (of chain)
esmaltar to enamel (*fig.*); to embellish
esmalte *m.* enamel work (*fig.*); enamel (finish on dishes *or* pots)
esmeralda emerald (precious stone)
espada de Damocles Sword of Damocles
espadachín *m.* duelist
espalda back of (building); back; *f. pl.* shoulders; **a ———s (de)** behind, back (of)
espantapájaros *m.* scarecrow
espantar to frighten
espanto fright, terror
espantoso frightful, awful, dreadful
espasmo spasm
espectro spectrum
espejito (*dim. of* **espejo**) **de mano** small hand mirror
esperanza hope
espía *m.* spy
espiar to spy
espléndido magnificent
esponjar to puff up
espontáneo spontaneous
espumeante *adj.* foamy
esqueleto skeleton
esquina corner (street)
estado condition; **——— mayor** Chief of Staff; **Estado** State (nation)
estafar to swindle
estallar to break forth (said of anger)
estampa print, engraving
estampar to engrave, print; (coll.) to slam
estampilla revenue *or* tax stamp
estancia room
estanquillo (*Am.*) small general store
Estaos Uníos (*coll. for* **Estados Unidos**) United States of America
estatuilla statuette
estela trail (of a heavenly body)
estentóreo *adj.* stentorian, clear and loud
estercolero dunghill
estertor *m.* death rattle
estiércol *m.* dung, manure
estipularse to stipulate
estorbar to hinder

estrambótico loud (gaudy)
estrechamente tightening
estrecharse to hug, embrace; ——— **la mano** to shake hands
estrecho narrow, rigid; tight, close
estremecerse to shiver, shake
estremecimiento shaking, shuddering
estrépito crash
estropajo gourd (when dried is used as a scrubbing brush)
estruendo crash
estruendoso thunderous, loud
estrujar to crush
estuco stucco
estupefacto dumbfounded
estupor *m.* amazement, surprise
éter *m.* ether
evaporar to disappear
evitar to avoid
exangüe *adj.* anemic
excelso lofty
excusado *adj.* unnecessary
exhausto (*coll.*) wasted away
exigir to demand
éxito success
exponer to expose
expresar to express
expuesto (*p.p of* **exponer**)
expulgarse to delouse oneself
expulsar to drive out
exquisito genteel, exquisite, delightful
éxtasis *m.* ecstasy
extender (ie) to draw up (a document)
exteriorizarse to unbosom one's heart
extraer to take out
extranjero *adj.* foreign
extrañar to find strange
extraño strange
extraviado bulged out
extremadamente extremely
extremo *m.* end; edge (of a letter)

fábrica factory
facilitar to provide
facineroso rascal, criminal
facultad skill, talent
facultativo *m.* doctor
facha (*coll.*) appearance (one makes in unsuitable clothing)
fachada façade, front
faena chore, task
fajo bunch, wad, roll
falda skirt
falderillo lap dog
falto *adj.* lacking, wanting; *n. f.* fault, mistake, lack; **hacer** ——— to be needed, be necessary; ——— **de** short of, lacking
fallecimiento death
fallido unsuccessful
fantasma *m.* phantom
fastidio annoyance
favor *m.* favor
faz *f.* face, aspect
fe *f.* faith
febril *adj.* feverish (*lit.*)
fecha date
federal *m.* federal soldier, government soldier
feérico *adj.* fairylike
felicidad happiness; **por mi** ——— for my happiness
felicitación congratulation
feo ugly
feroz *adj.* (*pl.* **feroces**) ferocious
ferrado *adj.* shod
ferrocarril *m.* railroad
fervoroso fervent
festejar to entertain; to make merry
festinado hasty
festón garland, wreath
fidedigno trustworthy, reliable
fiebre *f.* fever
fiel *adj.* loyal, faithful
fieltro felt hat
fiera ferocious animal, wild beast
fierro (*obs.*) **hierro** iron
fifí *m.* dandy
figura face, countenance, shape, form
figurar to figure; ———**se** to appear; to imagine
fijar to notice, pay attention to; to fix; ———**se en** to notice; to note carefully
fijeza solidity
fijo fixed
fila row, line, force (*mil.*)
filigrana *adj.* filigree (work)
filete *m.* filet (fish)
filialmente like a son
filípica *n. f.* philippic
filo edge; cutting edge

filón vein, lode (of a mine)
fin *m. and f.* end, purpose; **al** ——— at last; **por** ——— at last; finally; **a** ———**es de** at the end of; **dar** ——— **de** to put an end to
finca ranch, property, farm
fingir + *inf.* to pretend to + *inf.*
fino *adj.* fine (quality); delicate (graceful)
finura politeness
firma *n. f.* signature
firmar to sign
firme *adj.* steady, firm
firmeza steadiness, firmness
flamante *adj.* bright; brand new, flashing
flamígero flamelike
flaquear to weaken, to give way
flecha arrow
flirtear to flirt
flotante *adj.* flowing (said of a wide skirt)
flux *m.* (*Am.*) suit of clothes
foco (*Am.*) electric light; ——— **voltaico** arch light
follaje *m.* foliage
fondo bottom (seat of chair); background, rear; **a** ——— thoroughly; *pl.* funds; ——— **de pozo** bottom of a well
forma way, shape
formal *adj.* truthful, serious, polite
formalidad seriousness
fórmula form
formulismo adhesion to routine
fornido robust, stout
foro legal profession
forrado lined (coat)
fortaleza strength
fracaso failure
franco *adj.* generous, frank
franja band, swath
franquear to clear (the way); to make one's way
frasco bottle
frenético mad, angry
frente *f.* face, forehead; *m. and f.* front (of a building); **al** ——— **de** in front of (location); **al** ——— **de** in charge of
fresco *adj.* fresh, cool
frialdad frigidity
fricción massage, rubbing
friccionar to massage, rub
frijol *m.* bean
fronterizo *adj.* frontier
frotar to strike (a match)
fuego fire
fuente *f.* fountain
fuera *adv.* out, away; **de** ——— outside of; ——— **de sí** beside oneself with grief (anger, rage)
fuero *m.* privilege
fuerte *adj.* heavy (expenses); rough, tight (to close eyes)
fuerza strength; *f. pl.* forces (*mil.*)
fulgor *m.* splendor, brilliance
fulminar to strike with lightening; to hurl epithets at; to express wrath
fumar to smoke
fundar (en) to found *or* base (on)
fundir to melt, fuse
fúnebre *adj.* funeral, gloomy
funesto ill-fated
furia fury (haste)
fusil *m.* gun, rifle

gabinete *m.* office, cabinet (of government); ——— **de consulta** consultation room
gacela gazelle
gafas *f. pl.* spectacles
gala: hacer ——— **de** to take pride in, to glory in
galantería gallantry, charm
gallardo proud, haughty
gallina hen, chicken
gallo rooster; ——— **de pelea** fighting cock
gama gamut
gamuza chamois (leather)
gana desire; **tener** ——— *or* **ganas** to feel like, want to
ganado cattle, livestock; **carro de** ——— cattle car (*R.R.*)
ganancia gain, profit
ganar to earn, gain, reach; to win over; ———**se** to earn a living
ganguear to speak in a nasal tone
garito gambling house
garra claw
garrapata tick (insect)
garrotero brakeman (*R.R.*)
garzo *adj.* blue; *n. f.* heron, crane
gasa gauze, chiffon

gastar to spend, waste; ——**se** to wear out
gasto *m.* expense
gavilán *m.* hawk
gemido moan, groan
gemir (i) to moan, whine
gendarme *m.* (*Mex.*) policeman
general *adj.* vast, enormous; *m.* general (*mil.*)
género kind, sort
genio genius
genuflexión low bow
gerencia management
gerente *m.* manager
gestión effort
gesto gesture
girar to turn
giro turn
glorieta traffic circle; circle in a park (with flowers *and/or* plants)
gobernar to rule
goce *m.* enjoyment
golosina *f.* sweet, delicacy
golpe *m.* blow, hit
golpear to knock, strike, beat
gordiflón, -ona *adj.* chubby, pudgy
gorjeo warble, trill
gorrión sparrow
gota drop
gozar (de) to enjoy; ——**se** to enjoy oneself
gozne *m.* hinge
grabar to engrave
gracia charm, favor; **tener** —— to be funny; **hacer a uno** —— to strike someone as funny
grácil *adj.* thin, slender
gracioso graceful
grado degree; grade (*mil.*)
grasiento greasy
grato pleasant, kind
grave *adj.* serious, solemn, dejected
greña tangled mop (of hair)
gritar to cry out, shout
gritería shouting, uproar
grito *m.* shout, scream; **hablar** *or* **decir a** ——**s** to scream
gritón *adj.* shouting, screaming
grosería insulting remark
grosero *adj.* insulting, rude
grueso thick, bulky
gruñido grunt
gruñir to grunt; creak (of a door)
guacamayo large parrot
guante *m.* glove
guarache *m.* (*Mex.*) sandal (made of crude leather)
guardar to keep; ——**se** to be on one's guard
guarida shelter, lair, hide-out
guiñapo rag, tatter
güirigüiri *m.* babel
gusanillo little worm
gusto *m.* pleasure; **mucho** —— great pleasure; **tener** —— **en** *or* **de** + *inf.* to be glad to + *inf.*

haba large bean (similar to a lima bean
habano *adj.* Havana cigar
haber (*aux.*) to have; to be (impersonal); *n. m.* salary, wages
habilidad skill, ability
habitación house, room
hábito habit, custom
hablar to speak, talk
hacer to make, do; to show elapsed time (*e.g.* **hace pocos días** a few days ago); ——**se** + *n.* to become + *n.*; —— + *inf.* to have to + *inf.*; ——**se** to make oneself; —— **caso (de)** to pay attention (to); —— **daño** to do harm; —— **vapor** to get up steam; —— **la comedia** to pretend; (*coll.*) to make believe; —— **falta** to be needed, be necessary; —— **gala de** to take pride in, to glory in; —— **a uno gracia** to strike someone as funny; ——**se violencia** to restrain oneself
hacia toward, near; —— **sí** toward oneself
hacha axe
hálito breath, gentle breeze
hall *m.* (*Mex.*) large entrance room of a home; foyer
hallar to find
hallazgo discovery, finding
hambriento hungry
harapo rag, tatter
haraposo ragged, dressed in rags
hay (*3rd. sing. pres. of* **haber**) there is; there are; —— **que** it is necessary that

haz (*2nd. sing. impv. of* **hacer**); *n.m.* **haz** (*pl.* **haces**) bunch, bundle
hazaña deed, feat
he *adv.* (*1st. sing. pres. ind. of* **haber**) here is; here are
hecho (*p.p. of* **hacer**) *adj.* accustomed, finished; **estar ——** to be turned into; to look like
helado cold, icy
henchido filled
heredado inheritor
herido wounded, hurt; **—— de muerte** mortal blow; *n.m.* **——, -a** injured person
herrumbroso rusty
hervir (ie, i) to boil; to seethe (said of an angry person)
hidalgo gold coin (equal to U. S. ten dollar gold coin); **medio ——** half an **hidalgo**
hiedra ivy
hielo ice, frost
hierro iron, steel
hilera row
hincar to thrust; to sink (one's teeth)
hito: mirar de —— en —— to eye up and down, stare at
hocico nose, snout
hogar *m.* home, home life
hoja sheet (of paper; steel); leaf; **—— de lata** tin, tin plate
hombrazo tall robust man
hombre *m.* man
hombro shoulder
hondo *adj.* deep, low; *m.* depth, bottom
honra dignity
honrado honorable, honest
honrar to honor; **——se** to be honored; **——se en** to have the honor to
hora time, hour; **dar ——** to fix a time; **dar la ——** to strike (said of a clock) **altas ——** late hours
horda horde, multitude
hormiguear to swarm, crawl
horripilación bristling of the hair
hosco proud, arrogant, sullen
hospedarse to lodge
hostigar to harass, pester
huachinango red snapper (fish)
huarache *m.* (*Am.*) (*var. of* **guarache**)
hueco blank space (in a document)
huérfano orphan
hueso bone
huevo egg
huir to flee
huizache *m.* **huisache** tree common in central and northern Mexico and southwestern U. S.
humilde *adj.* humble; **—— cuna** poor *or* humble family
humo smoke
hundir to sink, plunge

ignorar not to know
iguala agreement
ileso unharmed
imberbe *adj.* beardless
impartir to transmit, provide
impedir (i) to prevent
imperioso pressing
impermeable *m.* raincoat
imperturbable *adj.* unshakeable
ímpetu *m.* spirit, haste, force
implicar to imply
imposibilitar to make unable
imprevisto *adj.* unforeseen, unexpected; *m. pl.* incidentals
imprimir to impress
improperio insult
improvisarse to be improvised
improviso: de —— unexpectedly, suddenly
impúdico immodest
inaudito unheard-of; astounding
incapaz *adj.* unable, incapable
incautarse to seize, attack
incierto uncertain, unsteady
inclinar to bow
incomodidad inconvenience, discomfort
inconsciencia unawareness, unconsciousness
inconsciente *adj.* unconscious, unaware
incontenible *adj.* irrepressible
inconveniente *adj.* impolite; *m.* obstacle, difficulty
incorporar to join, embody; **——se** to sit up (from a reclining position)
increpar to rebuke

indefectible *adj.* unfailing
indignar to anger, irritate
indiscutible *adj.* unquestionable
índole *f.* sort, class, kind; disposition
indolencia carelessness
indudablemente certainly, indubitably
inerme *adj.* unarmed
inesperado unexpected, unforeseen
infame *adj.* infamous; *n.m.* scoundrel
infeliz *adj.* unhappy; (*coll.*) simple (ordinary); *m.* wretch; poor soul
infligir to inflict
influir to influence, have great weight
infortunio misfortune, bad luck
infundir to instill, infuse
inhabilitar to disable, incapacitate
iniciarse to be initiated
inicuo iniquitous, unfair
injuria offense, insult
inmediación neighborhood, vicinity
inmóvil *adj.* (*var. of* **inmoble**) immovable, motionless
inmundo dirty, filthy
innato innate, inborn
inopinado unexpected
inquieto anxious, worried; restless
inquietud uneasiness, concern
inquina dislike, aversion
insigne *adj.* famous, noted
inspiración inhalation
instalado settled
inteligencia understanding
inteligente *adj.* intelligent, trained, skilled
intempestivo untimely
intentar + *inf.* to try to + *inf.*
interponer to interpose; to appoint as mediator; ———**se** to stand between
interpuesto (*p.p. of* **interponer**)
interrogar to question
interrumpido out-of-order (telephone)
interrumpir to interrupt, block
intestino internal, domestic
intrigar to intrigue, excite; ———**se** to be intrigued
inútil *adj.* useless; *m.* a good-for-nothing
inutilidad uselessness
inventiva inventiveness
inventivo *adj.* inventive
invernadero hothouse
ir to go, walk; ———**se** to go away; ——— **a** + *inf.* to go to + *inf;* ——— **a paseo** to go for a walk; ——— **por** to go for, go after
ira wrath
irguiendo (*ger. of* **erguir**)
irguió (*3rd. per. sing. pret.* **erguir**)
irisado rainbow-hued
irrecusable *adj.* unimpeachable
irremisible *adj.* unpardonable
irreprochablemente faultlessly
irrespetuoso disrespectful
irrupción invasion
ixtle *m.* istle (*fiber*)
izquierdo *adj.* left; **a la** ———**a** to the left

jabón cake of soap
jadeante *adj.* panting, breathless
jadear to pant; to sustain, endure
jamás never, ever
jamón ham
japonés *adj.* Japanese
jaqueca sick headache
jardín *m.* garden
jardinero gardener
jarra pitcher (for liquids)
jarrón urn
jaula pen, cage (for animals)
jefe *m.* chief, leader, manager; ——— **de la casa** head of the household
jergón straw mattress
jilo (*coll. for* **hilo**) thread (a line)
jitomate *m.* (*Mex.*) tomato
jornalero day laborer
joven *adj.* young; *m. and f.* young man, woman
joya jewel, piece of jewelry
juego game
jugar (ue) to play
juicio judgment (logic); **poner en tela de** ——— to question, doubt
juntar to join, unite; ———**se** to gather together
junto *adj.* joined, united; *adj. pl.* together
juramento oath
jurar to swear (take an oath)

justo just, exact, correct
juzgar to judge

labio lip; ——— **inferior** lower lip
labor *f.* needlework; labor
labrado worked, wrought (iron); carved
lacayo footman
lacio straight, lank (hair)
ladino sly, cunning
lado side, direction; **al** ——— **de** by the side of
ladrón thief
lagartija little green lizard
lágrima tear
lámina engraving
lanzar to burst forth (with laughter); ———**se** to fling oneself; to let out (a cry)
largo long; **a lo** ——— **de** along
lástima *interj.* what a pity!; **dar** ——— to feel sorry for (someone)
lastimar to hurt
látigo horsewhip
latir to beat, throb
lavabo washstand
lazo lariat
leal *adj.* loyal, faithful, trustworthy
lectura reading
lecho bed
lechoso milky
lechuza (*coll.*) owl-faced woman
legua league (a measure of 4.6 miles)
lejanía distance
lejía chlorine bleach
lencería linen goods
lentitud slowness
león lion
leopoldina gold watch chain
letra letter (of alphabet)
letrero placard
levantar to raise, lift; to make (a survey); ———**se** to get up, rise
leve *adj.* slight
levitón heavy frock coat
ley *f.* law
libélula dragonfly
libraco worthless book
librado freed
libro de contabilidad accounting book
ligero light (in weight); ——— **de cascos** scatterbrained
limpiar to clean
limpio untroubled
lino linen, canvas
listo *adj.* ready, prepared; clever (*when used with* **ser**)
lobezno wolf (*cub*)
lobo wolf
lobreguez *f.* darkness, gloominess
locuaz *adj.* talkative
locuelo *adj.* frisky (youngster)
locura madness, folly
lograr to get, obtain; ———**se** to succeed, turn out well; ——— + *inf.* to succeed in + *ger.*
lona coarse cotton material (like canvas)
lozanía vigor
lucecilla (*dim. of.* **luz**)
luciérnaga firefly
lucir to illuminate; to display; ———**se** to dress up
lucha fight, struggle, battle
luchar to fight, struggle
luego soon, then; at once; **hasta** ——— until later; ——— **que** as soon as
luengo long
lugar *m.* place, position, site; **dar** ——— to make room
lujo luxury; **de** ——— de luxe
lumbre *f.* fire, light
luna moon; ——— **de miel** honeymoon
lupanar *m.* brothel
luto mourning (period), sorrow
luz *f.* (*pl.* **luces**) electric light; light (of sun); light

llama flame
llamador *m.* door knocker
llamar to call, call upon; to attract, knock; ———**se** to be called
llamarada flare up (of a flame)
llanta tire (of an automobile)
llanto *m.* weeping, crying; **en** ———**s** in tears
llave *f.* key
llegada arrival
llegar to arrive, come; ——— **a** + *inf.* to come to, to get to + *inf.*, to succeed in + *ger.*

llenar to fill; ——**se** to fill up, become full
lleno full, filled
llevar to wear, bring, take; to suffer; —— **puesto** to wear, have on (a garment); ——**se** to place, put
llorar to weep, cry
llover (ue) to rain
llovizna drizzle
lloviznar to drizzle
lluvia rain, shower

macho male (animal)
madera wood, planks of wood
madrugada dawn, early morning hour
madrugar to get up early
maestro *adj.* main, principal; *m.* master (skilled); teacher
mal *adj.* (*before m. sing. n. and adj.*) bad, evil; *m.* evil, misfortune, sickness
maldad evil
maldición curse, hatred
maldito damned, cursed
malestar *m.* uneasiness, indisposition
malhadado unfortunate
maligno unkind, cruel
malo *adv.* wrongly, badly, poorly
malsano unhealthy
maná manna
manada pack, flock, herd
manaza big clumsy hand
mancillar to blemish
mandar to be in command, to order
mandatario magistrate, person in power
mando command
manejo handling, management
manga sleeve
mango de Manila exotic tropical fruit
manicomio insane asylum
manjar *m.* food
manojo bunch, cluster
manta (*Mex.*) unbleached coarse cotton cloth
manteca lard
manto mantle
manzana apple
maña craftiness
máquina locomotive; **escribir en** (usually **a** ——) —— to type
maquinalmente mechanically
maquinaria machinery
maquinista *m.* engineer (*R.R.*)
mar *m. and f.* ocean
maraña thicket
maravilla wonder, marvel
marcha *f.* rate of speed, course; **en** —— in motion
marcharse to go away, leave
marcial *adj.* martial
marfil *m.* ivory
marido husband
mariposa butterfly
mariposear to flutter around
mármol *m.* marble; *pl.* marble statues
marquesina marquee
martillazo hard blow with a hammer
martillo hammer
martirizar to martyr
más most, more; **a lo** —— at the most; **no** —— no longer; **por** —— **que** no matter how much; **no** —— **que** no sooner than; only; —— **de** more than
masaje *m.* massage
máscara mask
mascullar (*coll.*) to chew hurriedly
masón Mason; member of Masonic Lodge
matachín *m.* killer who steals
mate dull
materia: en —— **de** in the matter of
materialmente physically (effort)
maxilar *m.* jaw
máxime *adv.* chiefly, principally
mayor *adj.* greater; *m.* major (*mil.*); **estado** —— chief of staff
mayordomo overseer
mayúscula capital (letter of the alphabet)
mecha wick; fuse
mechón (*aug. of* **mecha**) shock of hair
medida measure; **a** —— **que** in proportion as
mediero tenant farmer
medio *adj.* half, middle; **en** —— **de** in the middle of; **por** ——

de *or* **que** by means of; *m. pl.* means; *m.* environment, milieu
mediodía noon
medir (i) measure
meditabundo meditative
mejilla cheek
mejor better, best, rather
melifluo mellifluous, honeyed
mendicidad beggary
menester: ser ——— to be necessary
menguado cowardly
menor youngest
menos less, least
mensualidad monthly allowance
menta mint
mente *f.* mind
mentecato simpleton, fool
mentido *adj.* false
mentir (ie, i) to tell a falsehood
mentira lie
mentón chin
menudo meticulous, small, slight; **a** ——— often
mercado market
mercancía merchandise
merced *f.* mercy
merdoso (*coll.*) dirty, filthy
merecer to merit, deserve
mero *adj.* mere
mes *m.* month
mesa table
mesada monthly income
mesero waiter
meta reach
meter to place, put, insert; ———**se** to project; to get into
metro meter (39.37 inches)
mezcla mixture
mezquite *m.* mesquite (a tree common in southwestern U. S. and northern Mexico)
miedo *m.* fear; **dar** ——— **a** to frighten; **tener** ——— to be afraid
miembro limb, member
mientes *f. pl.* thoughts
mientras while; in the meantime; ——— **que** while, whereas; ——— **tanto** meanwhile
milagro wonder, miracle
militar *v.* to serve in the army; *n. m.* military man
millar *m.* thousand
mimbre *m.* wicker (used in furniture)
mina storehouse
minuciosidad meticulousness
minucioso minute, detailed
miope *adj.* shortsighted
mirada look, glance
miraje *m.* mirage
miramiento consideration
mirar to look at
misa mass (church service)
miserable *adj.* mean, despicable; *n. m. and f.* wretch
misericordia mercy, compassion
mismo *adj. and pron. indef.* same; own, very; self, (*e.g.* **ella misma** herself, **yo** ——— I myself); **lo** ——— **que** as well as
mitad half, middle; **a** ——— halfway through
mobiliario suit (of furniture)
mocedad youth
mochuelo little owl
modo *m.* way, method; ——— **de ser** nature, disposition; **de todos** ———**s** at any rate; anyhow
modorra drowsiness; lethargy
moflete *m.* chubby cheek
mofletudo fat cheeked
mojado wet
molde *m.* mold, form
moldura molding
molestia annoyance
moneda coin, money; ——— **efectiva** coin (hard money)
monstruo monster
montadura setting (of jewelry)
montar to mount (a horse); to weigh (*fig.*)
montón pile, heap
morada abode, house
morado *adj.* mulberry (color)
mordente sarcastic
morder (ue) to bite
moroso dilatory, slow
mostrar (ue) to show; ———**se** to show oneself to be
movediza shaky, unsteady
mozo young man; ——— **de hotel** bellboy; ——— **de partes** errand boy

muchedumbre *f.* crowd
mudo silent
mueble *m.* piece of furniture
mueca face, grimace
muelle *adj.* soft
muera (*imper. of* **morir**) may (someone) die; death (to someone)
mugir to bellow, to roar
muina (*coll.* Mex.) anger, rage
mujer woman, wife; ——— **de mal vivir** prostitute
murmurar to mutter
muro wall
muselina muslin
música *f.* band
musitar to mumble, whisper
mustio withered
mutismo silence

nacer to be born
naipe *m.* card (playing)
nalgada blow on the buttocks
nariz *f.* (**narices** *pl.*) nose
narrar to narrate
nato *adj.* born
naturaleza kind, nature of
negar (ie) to deny; to disclaim, refuse; ———**se a** + *inf.* to refuse to + *inf.*
negocio business, deal, affair
negrear to turn black
negro *adj.* gloomy, dismal, black; *m.* Negro
negrura blackness
negrusco blackened
nervio nerve
nervudo sinewy, powerful
neurasténico *adj. and n. m. and f.* neurotic
niebla (*fig.*) fog, confusion
nimbrar to encircle with a halo
ningún *adj.* (*used before m. sing. n.*) no, not any
niña girl; *m. pl.* children
niñez *f.* childhood
noción idea
noche *f.* night, nighttime; **a la media** ——— midnight; **por la** ——— at night; **de la** ——— at nighttime
nomás (*Am.*) only, just, simply
nombre *m.* name
noticia knowledge, news
noticiar to give notice of
novedad news; **sin más** ——— without anything more happening
novio suitor, sweetheart, fiancé
novísimo most recent, newest
nube *f.* cloud
nublar (*var. of* **anublar**) to cloud, obscure; ———**se** to become clouded
nubloso cloudy
nuca nape (of neck)
nudo knot
nueva news
nuevo *adj.* new; **de** ——— again
número *m.* copy (of newspaper); date, number; number (quantity)

obedecer to obey
obispado bishopric
obispo bishop
oblicuo oblique, slanting
obligar to oblige; ——— **a** + *inf.* to force to + *inf.*
obra work; ——— **de** a matter of
obrar to work, operate
obsequio gift
obstante: no ——— nevertheless, however
obstruir to obstruct
ocio idleness, leisure
ociosidad idleness
ocioso idler; *adj.* idle
ocultar to conceal, hide
oculto concealed, hidden
ocurrir to occur (to come to mind); to happen
odiar to hate
odio hate, hatred
odioso odious, hateful
oferta offer
oficina office
oficio job, profession
ofrecerse to offer, suggest
ofrecimiento offer
oído ear; ——— **de** confidentially; **dar** ——— to listen
¡oiga! (*pres. subj. of* **oír**) hey! listen!

oír to listen, hear; ——**se** to hear oneself; to be heard
ojalá may, I hope; God grant; would to God!
ojillo (*dim. of* **ojo**)
ojo eye; eye (of a scissors handle); **a** ——**s vistos** visibly, openly
ola wave
oliente *adj.* smelling, odorous
olor *m.* odor, smell
olvidar to forget; ——**se de** to forget
olvido *m.* forgetfulness
omitir to omit
ondear to wave, ripple (in the wind)
opinar to judge, pass judgment
oponerse (a) to oppose
oportunidad bargain; chance, opportunity
opresión pressure
oprimir to press, squeeze
optar to choose, select; —— **por** to decide in favor of
opuesto (*p. p. of* **oponer**) opposite
ora *conj.* **ora. . .ora** now. . .then
oración prayer
orden *m. and f.* (*pl.* **órdenes**) order; **en** —— in order
ordenadamente orderly, in an orderly manner
ordenar to order
ordeña (*common usage for* **ordeño**) milking
ordeñador *m.* milker
ordinario *adj.* usual; **de** —— ordinarily
oreja ear
orgullo pride
orín *m.* rust
orla edge
oro gold; gold coins; —— **nacional** gold coins (issued by government as official exchange)
ortiga nettle
osadía boldness, daring
oscurecer (*var. of* **obscurecer**) to darken, get dark
oscuro *adj. and n. m.* (*var. of* **obscuro**) dark; **a** ——**as** in the dark
ostensible *adj.* visible, apparent
ostión oyster
otro other, another; **al** —— **día** on the next day
oyendo (*ger. of* **oír**)

pa *coll. for* **para**
padre *m.* father; *m. pl.* parents, priests
pagar to pay, pay for
pagaré *m.* promissory note
pago payment
país *m.* country, land
paisano countryman
pájaro bird
palacete palacelike home
palidecer to turn pale
pálido pale
palmada slap with the palm of the hand
palmo palm (span, measurement); *f.* palm straw
palmotear to clap
paloma dove, pigeon
palomar *m.* dovecote; pigeon house
palpitante *adj.* burning, of the moment (said of an event)
pan *m.* bread
pana velvet
pandilla *f.* gang, faction
panoja dried corn stalks
pantalón (*generally pl.*) pants, trousers; ——**es abombados** riding breeches
pañolón large handkerchief (usually for the head)
pañuelo handkerchief
papá *m.* (*coll.*) papa
papa *f.* potato
papel *m.* paper; rôle (*fig.*); —— **de china** crepe paper
paquete *m.* package
par *m.* pair; **de** —— **en** —— wide open
para for, in order to; —— + *inf.* in order to + *inf.*; —— **que** so that, in order that
parar to stop; ——**se** to stop; to put up (in a house, hotel); —— **mientes** to consider, reflect
parecer to seem, appear; ——**se** to resemble; *m.* opinion
parecido *m.* similarity; **tan** —— as similar
pared *f.* wall

pareja pair, couple
pariente *m. and f.* relative
parlanchín *adj.* chattering; *n. m.* chatterer, jabberer
párpado eyelid
parroquia parish, church
parsimonia moderation
parte *f.* part; direction, side; **por otra ———** in another direction; on the other hand; **por todas ———s** everywhere; **tomar ——— en** to take part in; **salva sea la ———** (*coll.*) excuse me for not mentioning where
partícipe *m. and f.* participant
particular *adj.* especial, private
partida item; departure
partidario supporter
partir to leave; to divide, split
pasadizo corridor
pasado *adj.* out-of-date, past
pasador *m.* latch (of a gate)
pasar to pass, happen; to spend (time); ——— **por** to pass through, down
pasear to roam, wander
paseo promenade; **salir** *or* **ir de ———** to go walking
pasillo corridor, passage, hall
pasmado dumbfounded
pasmando astounding
pasmoso awesome, astounding, passive
paso passing, pace, step; **dar ———** to allow to pass; **salir al ———** to run into; **abrirse ———** to force one's way; **ceder el ———** to allow to pass
pastel *m.* pastry
pastiche *m.* (*Fr.*) imitation; mixture
paterno paternal
patria country, fatherland
patrón owner, master, boss
pausado *adj.* slow, deliberate; *adv.* calmly, deliberately
pavimento tile floor
pavo turkey; ——— **real** peacock
paz *f.* peace
peatón pedestrian
pecado sin
pecar to sin
pechera starched bosom of shirt
pecho chest, breast
pedazo piece
pedestremente (*fig.*) in a pedestrian manner
pedir (i) to ask for, demand, request
pegar to attach, stick; **———se** to hang on
pelado *m.* poor (typical term used in Mexico for a person of the lower class)
peldaño step (of stairs)
pelear to fight
peligro danger
pelirrojo red-haired
pelotón platoon (*mil.*)
peltre *m.* metal dish
pena pain, hardship, sorrow
penalidad trouble, hardship
pender to hang, dangle
pendiente *m.* earring; *adj.* hanging, dangling
penetración insight, acuteness
penoso arduous, difficult
pensamiento thought
pensativo thoughtful, pensive
peón laborer
peor worse
pepenacohetes *m.* [Azuela probably coined this word from **pepenar** (*Mex.*) to seize, grab + **cohete** (*Mex.*) drunkenness *and or* **estar cohete** to be drunk]; "one who grabs the bottle"
pequeño *adj.* small; *n.m.* youngest
percibir to perceive, see, make out
perchero rack (for canes or umbrellas)
perder (ie) to lose; **———se** to get lost, go astray
pérdida loss
perdulario a good for nothing vagabond, hoodlum
perdurar to last a long time
peregrinación pilgrimage
perezoso lazy
perfecto absolute
perfil *m.* profile, outline
perfilarse to show one's profile
perico little green parrot
periódico *adj.* periodic; *n. m.* newspaper
periodista *m.* reporter, journalist
perjuicio damage; **sin ———** without affecting

permanecer to stay, remain
permiso permission; **con** —— allow me, permit me
perplejo perplexed
perseguir pursue
persiana Venetian blind
perspectiva outlook, prospect
pertenecer to belong
pertinaz *adj.* persistent
pesadilla nightmare
pesado heavy, deep
pésame *m.* condolence
pesar to weigh, have weight; **a** —— **de** in spite of; *n. m.* sorrow
pese a in spite of
peso weight; **peso** (the national monetary unit in some Spanish American countries); **por** —— by weight
pesuña hoof
petaca suitcase (large type more like a trunk)
petaquita small leather hand bag
petate *m.* kind of fine straw
petróleos *m. pl.* oil industry
pez *m.* fish
piadosamente devoutly
picar to prick, sting
picardía scheming, trickiness
pícaro rascal, schemer
pie *m.* foot; **a** —— walking; **en** —— standing; **de** —— standing up; **tenerse en** —— to stay on one's feet; to remain standing; **al** —— **de** at the foot of (the bed)
piedad mercy, pity
piel *f.* leather, hide; skin
pierna leg
pieza piece
pila pile, heap; holy water font
píldora pill
pileta small font
pilita (*dim. of* **pila**)
pintado —— **al pastel** decorated *or* made up (with cosmetics)
pintura painting
piojo louse
pisar to step, walk
piso floor
pisotear to trample
pizarra slate
pizca bit, whit
placentero pleasant, agreeable
plafón (*arch.*) soffit
plano flat
plantar to place
plata silver; silver coin *or* coins; —— **fuerte** silver coins (hard money)
plateado silvery (in color); silvered
plática conversation
platillo (*dim. of* **plato**); ——**s nuevos** different ways to prepare food; new recipes
plato plate; course (at meals)
plazoleta (*dim. of* **plaza**)
plazuela (*dim. of* **plaza**)
plebe *f.* common people
plegar (ie) to crease, to knit (eyebrow)
plegaria prayer
pleno full
pliegue *m.* pleat, fold; crease (of one's lips)
plomizo lead colored
plomo lead
pluma pen, feather
plumbagina (*var. of* **plombagina**) plumbago, graphite (color)
poblacho shabby village *or* town
pobre *adj.* poor; —— **de ti** poor you; **¡pobre!** *interj.* poor thing!; *n. m.* poor man, beggar
pobrecillo poor little dear
pobrecito *interj.* poor thing!
pocilga pig pen
pócima concoction
poco *n.* little; *adj.* little, few, not many; —— **a** —— little by little
poder (ue). **no** —— **más** not to be able to go on (stand any more); *n. m.* power (in government)
poderoso powerful, mighty
podrido rotten
polaina puttee, legging
policromo varicolored
polvo dust
polvoso very dusty
pollo chicken; (*coll.*) young person; —— **predilecto** most eligible *or* favorite young man
pomo a small perfume bottle

pompa pomp
pómulo cheekbone
ponderación exaggeration
ponderado prudent
ponderar to praise to the skies
poner to put, place; to set (table); ——— **en tela de juicio** to question, doubt; ———**se** to become, to set (said of the sun); to place oneself; ———**se a** + *inf.* to set out to, to begin to; ———**se de rodillas** to kneel down
ponzoña venom
poquito little bit
por *prep.* by, for, on account of, through; **¡——— fin!** *interj.* at last! ——— **más que** no matter how much; ——— **sí** of its own accord; ——— + *inf.* in order to + *inf.*
pordiosero *m. and f.* beggar
pormenorizadamente in detail
poro *m.* pore
porquería (*coll.*) crudity; dirt, filth
porquerizo swineherd
portal *m.* vestibule, entrance hall
portalada entrance door
portazo slam of a door
porte *m.* bearing
portentoso portentous, prodigious
portera janitress
portero doorman, concierge
pórtico entrance, porch
portón large door
porvenir *n. m.* future
pos (*coll. for* **pues**); **en** ——— **de** in pursuit of
posaderas *f. pl.* buttocks
posar to rest; ———**se** to alight, perch
poseer to own, possess
poseso person possessed
poste *f.* ——— **de luz** electric light pole; ——— **de telégrafo** telegraph pole
postizo false (teeth) (*usually* **dientes postizos**)
postre *adj.* last, final; **a la** ——— at last, finally; *n. m.* dessert
potrero pasture
potro colt
practicar to bring about
precio price
precipitar to rush; ———**se** to throw oneself headlong; to hurry, hasten (away)
precisar to determine with precision
predecesor *adj.* previous
predilecto favorite, preferred
preferir (ie, i) to prefer
premiar to reward
premura passage (of time); pressure, force
prenda gift, talent, feature
prender to catch fire; to grasp, seize
prensa press, newspapers
presa: ser ——— **de** to be a prey of
presagio omen
presencia presence, arrival
presenciar to witness, be present at
presente *m.* present (time); **tener** ——— to bear *or* keep in mind
presentir (ie, i) to have a presentiment of
presidiario convict
presidio penitentiary
presión pressure
preso prisoner
préstamo *m.* loan; **documento de** ——— promissory note
prestar to lend
presteza celerity, quickness
presto right away
presupuesto budget
presuroso quick
pretextar to use as a pretext
prevenir (ie) to warn
prever to foresee
previo previous
previsión forecast, foresight
previsor foresighted
previsto (*p.p. of* **prever**)
primero first; **el** ——— the first one
primo *adj.* first
primor *m.* elegance, beauty
principio beginning, principle; **al** ——— at first
prisa: estar de ——— to be in a hurry; **a toda** ——— with the greatest speed; **de** ——— quickly; **dar** ——— to hurry, make haste
privado private
privar to deprive
probar (ue) to taste

procedimiento procedure
procurar to produce, manage; ——— + *inf.* to strive to + *inf.*
prodigar to lavish
producirse (*Am.*) to take place, happen
prófugo fugitive, deserter (*mil.*)
prolongarse to extend, prolong
prometer to promise
prontitud promptness
pronto quick, prompt; **de** ——— suddenly
pronunciar to declare, say
propicio propitious
propio *adj.* proper, suitable; own (*e.g.* **mi** ——— **hermano** my own brother)
proponer to propose, suggest
proporcionar to provide, give
propósito aim, purpose; **a** ——— by the way
prorrumpir to burst out
proseguir (i) to continue, carry on
provecho advantage, gain
proveer to provide
providencia foresight, measure
prueba proof; **poner a** ——— to put to the test
pude *1st sing. pret. of* **poder**
pueblo common people, nation
puente *m.* bridge
puertecilla (*dim. of* **puerta**)
puerta ——— **de salida** exit
puerto port; *f.* door
pues well, since, because, certainly
puesto (*p.p. of* **poner**) *m.* position, office; ——— **que** inasmuch as, although
pujar to push
pulga flea
pulmón lung
pulque *m.* liquor made from the maguey plant
pulquería (*Am.*) pulque tavern *or* bar
punta tip, end; **de** ——— on end
puntapié *m.* kick
puntillas: de *or* **en** ——— on tiptoe
punto point; period; **en** ——— **de las diez** ten o'clock sharp!; ——— **por** ——— in detail; ——— **de vista** point of view; **al** ——— instantly
puñado handful
puñetazo blow (hard blow with the fist)
puño cuff, fist
pupila pupil (of the eye)
pupitre *m.* writing desk
puridad: en ——— frankly
puro *m.* cigar; *adj.* real; sheer; solid (gold); only (*e.g.* **pura agua** only water)
púrpura purple
puse *1st sing. pret. of* **poner**
puya steel point

quebrado broken
quebrantado broken, weakened
quebrantar to break (one's word); to break
quedo softly, in a low voice
queja complaint
quejarse (de) to complain (of)
quemar to burn
queso cheese
quienquiera *pron. indef.* anyone, anybody; whoever, whomever
quietud quiet, calm
quitar to take away; ———**se** to take off
quizá, quizás perhaps

rabia rage, anger, fury
rabono short
racimo cluster, bunch
radiografía *f.* x-ray (radiograph)
radioso radiant
ráfaga flash (of light)
raíces (*pl. of* **raíz**)
raído threadbare
raíz *f.* root
ralea: baja ——— (*coll.*) low class people
ralo sparse, thin
rama *f.* branch (of a tree)
ramo *m.* branch (of government)
rana frog
rango (*Am.*) quality (high social standing)
rapaz *m.* (*pl.* **-paces**) young boy
rapto rapture
raro odd, strange
rascarse to scratch (oneself)
rasgar to tear; to rip open
raso clear, wide open (eyes)

rata rat
ratero sneak thief, pickpocket
rato short time; **a ——s** from time to time
ratón mouse
rayo flash of lightning
raza (*Mex.*) "people of our sort"; indigenous people
razón *f.* right, reason; **tener ——** to be right; **dar —— de** to give an account of
razonar to reason out
reacción resistance
reaccionar to react
realizarse to become fulfilled
reanudar to renew; **——se** to become renewed
rebasar to exceed, go beyond
rebelde *adj.* rebellious, stubborn
rebeldía defiance
recabar to obtain, succeed in getting
recalentar (ie) to make warm again
recámara bedroom
receta prescription
recetar to prescribe
recibir to receive (guests); to receive; **——se** to be received; **—— noticias (de)** to hear (from)
recibo receipt
reciente *adj.* recent
recio swift, strong
recluir to seclude
recobrar to come to (regain thoughts); **——se** to come to oneself; to recover
recoger to pick up, gather
recomendar (ie) to urge, recommend
reconcentrar to concentrate; **——se** to become absorbed in thought
reconocer to recognize; to scrutinize, examine
reconocimiento examination
reconvención remonstrance
recorrer to run about, to look over, to travel (go) through (over)
recorrido route
recortarse to stand out, be outlined
recuento recount, accounting
recurrir to resort, have recourse
recurso resource
rechinar to squeak, creak
reducirse a to be reduced to
referir (ie, i) to tell, narrate, refer
refinado refined
refrenar to check, restrain
refugiar to take shelter, refuge
refulgente *adj.* refulgent, shining, brilliant
registrar to inspect
regocijo gladness, joy
regordete, -a chubby, plump
regresar to return, go back
regreso *m.* return; **de ——** back
reguero scattering (of feathers, etc.)
regular *adj.* usual; **de —— estatura** of average height
rehenchir (i) to refill
rehusar to refuse, turn down
reinar to prevail
reingreso reentry
reja ornamental iron gate; *and or* fence
rejilla (*dim. of* **reja**); iron grill of cashier's office
relación connection, event, account
relajación laxity
relámpago flash of lightning
relampagueante *adj.* flashing
relampaguear to flash
relieve *m.*: **bajo ——** bas-relief (design standing out from surface)
reloj *m.* watch
reluciente *adj.* shining
remangar (*var. of* **arremangar**) to turn up
rememorar to recall, remember
remesa remittance
remolque: a —— tugging
remordimiento remorse
remover (ue) to remove; to hover
remozar to rejuvenate
renacer to come alive again, revive
rendido overcome, exhausted
rendimiento yield, output
rendir (i) to surrender
renegrido blackened
renglón line (of writing *or* print)
renovarse (ue) to renew
renunciar a to give up (an occupation)
reñido bitter, hard-fought
reparar to make amends; **—— en** to notice, pay attention
repasar to revise
repaso review, inspection

repente: de —— suddenly
repercutir (en) to have a repercussion (on)
repentino sudden, unexpected
repetir (i) to repeat
repicar to ring (bells)
repique *m.* ringing
repiquetear to ring gayly
repiqueteo gay ringing of bells
repisa shelf
replegarse (ie) (*mil.*) to fall back
repleto full, loaded
replicar to answer, reply
reponer to reply
reposar to rest, lie
represalia retaliation
representación standing, realization
repuesto (*p.p. of* **reponer**) recovered
repugnar to object to
repulido highly polished
requemado sunburned
requerir (ie) to require
res *f.* steer, cow
resaca (*fig.* debris washed up on the shore) ordinary *or* very low class people; "trash"
resarcirse de to make up for
rescate *m.* ransom money
reseco dried
resentirse (ie, i) to resent
reserva reservation, confidence
reservado private (concealed)
resfriado cold (in the head)
residir to reside
resinoso sticky, resinous
resistirse a + *inf.* to refuse to + *inf.*
resolver (ue) to resolve, decide; **——se a** + *inf.* to decide to + *inf.*
resollar to breathe hard, pant
resonar (ue) to echo, resound
resoplar to puff
resorte *m.* spring
respaldo back (of a chair)
respetar to respect
respetuoso respectful
respirar to catch one's breath; to inhale, breathe in
resplandecer to shine (forth)
resplandeciente *adj.* radiant
resplandor *m.* brilliance
respuesta reply, answer, response
resto rest
resuelto (*p.p. of* **resolver**) determined, resolved, resolute
resumen: en —— to sum up
retardo delay
retener (ie) to keep, detain
retintín *m.* jingling
retirar to withdraw, leave; to withhold; to push back
retorcerse (ue) to twist, curl
retozar to frolic, romp about
retractarse to take back (something said)
retrato photograph
retroceder to back away; to retrace one's steps
retumbar to rumble, resound
reunir to bring together, gather
revancha revenge
revelar to reveal
revendedor *m.* ticket speculator
reventando bursting (*lit.* packed tightly)
reventar (ie) to explode, burst
reverberante *adj.* glaring
revés: al —— wrong side out
revestida de adorned with
revestir to put on, don
revisar to check
revolver (ue) to mix in; **——se** to be mixed in with
revuelto (*p.p. of* **revolver**) mixed up; disheveled, tangled (hair)
rey *m.* king
rezar to pray; **—— con** (*coll.*) to have to do with
rezo prayer
rezumante *adj.* damp (wood that moisture has oozed through)
rico, -a rich person; *adj.* rich
rincón corner, cozy corner
riña fight, scuffle
riqueza *f.* wealth, riches
risa laugh, laughter
risotada boisterous laugh
ríspido coarse
risueño smiling
robachico worthless fellow; kidnapper of children (*Mex.*)
robo robbery, theft
roca rock, stone
rociar to sprinkle
rodar (ue) to roll, wander about, tumble down; **—— de hocicos** to roll over on one's face

rodear to surround
rodilla knee; **de ——s** kneeling (on one's knees); **ponerse de ——s** to kneel down
rogar (ue) to beg
rollito little roll (of paper)
romper to break; **——se** to destroy itself
roncando roaring (said of wind)
ronco raucous
rondar to go around
roña mange
ropa clothes; **—— blanca** linens (sheets, towels, tablecloths, etc.)
rosario rosary
rostro face
roto (*p.p. of* **romper**) shattered
rotundo sonorous
rubí *m.* (*pl.* **rubíes)** ruby
rubio golden, blond
rubor *m.* flush, blush
ruborizarse to blush
rudo coarse, crude
ruego plea
rufián *m.* scoundrel
ruido noise
ruidosamente loudly
ruina ruin; to be a wreck (said of a person)
rumbo course; **—— a** in the direction of
rumor *m.* murmur, sound, buzz (of voices)
rumorear to murmur
ruta route

sábana altar cloth; sheet (bed)
sabiduría wisdom, knowledge
sabio *adj.* wise; *n.m.* wise man
sabor *m.* flavor
sacar to pull out, extend; **—— en claro** to deduce, conclude clearly
sacerdote *m.* priest
saco jacket
sacudir to shake
saeta arrow
sagaz *adj.* sagacious
sagrado sacred
sal *2nd sing. impv. of* **salir**
salida departure
saliente projecting
salir to leave, to come out; **—— de** to depart from; **—— al encuentro** to go to meet, to get ahead of
salivazo (*coll.*) spit
salpicadura splash, spattering
salpicar to splash
saltar to jump, burst forth; **—— a ojos vistos** to be self-evident
salto jump; **de un ——** at one jump
saltón *adj.* bulging, protruding
salud *f.* health
saludar to greet
salvador *m.* savior; *adj.* saving
salvaje *adj.* savage (people)
salvar to save (person's soul); to save (capital)
salvo: dejar a —— to make an exception of
sangrado having lost blood
sanguijuela leech
sanguinaria bloodthirsty
sano healthy; **por lo ——** on account of the sincerity
sanseacabó *interj.* (*coll.*) finished!; O. K.!
santiguarse to make the sign of the cross
sapo frog
saquear to plunder, loot
saqueo looting
sarao evening party
sarta row, series
saúco elderberry
savia sap (*fig.*)
secar to dry; to wipe
seco dry, dried up; indifferent, sharp
seda silk
seglar *m.* layman
seguido *adj.* successive; **cuatro días ——s** four days in a row; **en ——a** immediately
seguir (i) to follow, continue, keep on
según according to; as
seguridad assurance, safety, security
semblante *m.* face
sembrar (ie) to plant, sow, cultivate
semejante *adj.* similar, like
sempiterno everlasting
sencillo unaffected, simply
sendos *adj. pl.* each one, one apiece
seno bosom
sensiblería sentimentality

sentido *m.* consciousness, sense, meaning; *adj.* deep felt
sentir (ie, i) to feel; ———**se** to feel sorry for; to feel
seña sign
señal *f.* sign, signal
señalar to point out, indicate
sequedad dryness, surliness
ser *n. m.* being
serenar to calm
serenidad calmness, serenity
servidumbre *f.* servants
servilleta napkin
servir (i) (de) to serve (as), to use as; to work; **sírvase** + *inf.* please + *inf.*, to have the kindness + *inf.*
sesgo turn, compromise
seso brain
sí *adv.* yes; indeed (gives emphasis to verb) **él sí habla español** he does speak Spanish; **de por** ——— by oneself, in itself; **de** ——— separately
sidra cider
siempre always; ——— **que** whenever
sien *f.* temple (of head)
sigiloso silent, quiet
siguiente following, next
silbido hiss, whistle
silla saddle
sillón overstuffed chair
simpatía friendliness, liking
simpático *adj.* pleasant, charming, nice, likeable
simular to fake
siniestro sinister
sino but, except; **no. . . sino que** only; **no sólo. . . sino que** not only. . . but, but also; **no. . . sino** not. . . but; only
siquiera even, at least; **ni** ——— not even
sitio place, location
soberbia pride
soberbio *adj.* magnificent, proud, arrogant
sobra *f.* excess, surplus; **de** ——— more than enough; ———**s** *f. pl.* leavings
sobrado more than enough
sobrante *m.* surplus
sobrar to exceed, be more than enough
sobrepujar to excel, surpass
sobresalto fright, scare
sobrino nephew
sobrio moderate
socarrón *adj.* sly, cunning
sofocante suffocating
sofocar to smother, choke, stifle
solar *m.* lot, ground
soledad solitude
sólido solid, sound, practical
solo *adj.* only; sole; **a solas** alone; **sólo** *adv.* only, solely
soltar (ue) to let go of, loosen, set free
sollozar to sob
sollozo sob
sombra shade, shadow, shadow (appearance)
sombriamente somberly, gloomy
sombrío gloomy
someterse to submit, yield
sonámbulo sleepwalking; *m. and f.* sleepwalker
sonar (ue) to ring, sound
sonoro loud, sonorous
sonreír (i) (se) to smile
sonriente *adj.* smiling
sonrisa smile
sonrojarse to blush
soñar to dream
sopa soup; **hecho una** ——— drenched
soplar to prompt, blow; ———**se** to be puffed up
soportable *adj.* bearable, endurable
soportar to bear, withstand
sordo mute, muffled, deaf
sorna cunning; tantalizing slowness
sorprender to catch; ———**se** to be surprised
sosiego calm, serenity
sospecha suspicion
sospechar to suspect
sospechoso suspicious
sostén *m.* support
sostener (ie) to hold up, support, bear
sostenido sharp (*fig.*)
soyate *m.* (*Mex.*) palmlike straw
suave *adj.* gentle, suave
suavidad softness

subir to rise, go up; ——— **a** to get on *or* in
súbito sudden
suceder to come to pass, happen, occur
sucedido (*coll.*) event
suceso event, outcome
sucio dirty
sucursal *f.* branch office
sudor *m.* sweat
sudoso sweaty
sueldo salary
suele olvidar accustomed to forget
suelo ground, floor
suerte *f.* luck
sugestionado influenced
sujeto individual, fellow
suma sum, amount
sumar to add, sum up
sumergir to submerge
sumir to sink
suntuoso sumptuous
supe (*3rd. sing. pret. of* **saber**)
superior higher; ——— **a** more than
suponer to suppose
supuesto (*p.p. of* **suponer**) **por** ——— of course, naturally; ——— **que** in as much as
surgir to present itself, spring up
suscitar to stir up, provoke
suspender to hang up, suspend, stop
suspirar to sigh
suspiro sigh
sustentar to hold (in a container); ———**se** to support itself
sustento support, sustenance
susurrar to whisper

tablón heavy board
tal such; **¡qué tal!** *interj.* hello!, how's everything?; **el** ——— **Archibaldo** that fellow Archibaldo; ——— **vez** perhaps
talegas *f. pl.* (*coll.*) money (bag that holds 1000 silver **peso** coins)
talón heel
talla carving, engraving
talle *m.* waist
tallo stem, stalk
tamaño such a big
tambor *m.* drum
tampoco neither, not either
tan so; **tan. . .como** as. . .as
tanto *adj.* so much (many); **entre** ——— in the meantime; **por** ——— therefore; **en** ——— in the meantime; *pl. adj. and pro.* so many, as many; **tanto. . .como** both . . . and
tapicería upholstery, tapestry
tapices *pl. of* **tapiz**
tapiz *m.* tapestry, carpet
taquígrafa secretary
taquigrafía shorthand and typing
tararear to hum
tarea task
tarjeta calling card
tartajoso stuttering
taza cup
techo roof, ceiling
tela: poner en ——— **de juicio** to question, doubt
telaraña spider web
temblar (ie) to shake, quiver
temer to fear; ———**se** to be afraid
temeroso fearful
temor *m.* fear
temporal *m.* pertaining to the head (anatomy)
temprano early
tenamaste support on which a crude iron grill *or* grate rests to form a stove
tendajero owner of a small general store
tenderse (ie) to stretch out, extend
tenebroso dark, gloomy
tenedor de libros bookkeeper
tener (ie) to have; ——— **razón** to be right; ——— **que ver con** to have to do with; ——— **que** + *inf.* to have to + *inf.*; ——— **en pie** to keep on one's feet; **¿qué tiene?** what's the matter? ——— **presente** to bear *or* keep in mind; ——— **la bondad de** + *inf.* to be good enough to + *inf.*; ——— **cuidado** to be careful; ——— **la gana, ganas** to feel like, want to; ——— **gracia** to be funny; ——— **gusto en** *or* **de** + *inf.* to be glad to + *inf.*
tentar (ie) to tempt
tenue *adj.* soft, faint (in color)

teñir (i) to dye; **teñido de cosmético** dyed (hair)
terco stubborn
ternura tenderness
terquedad obstinacy, persistence
terrón clump of earth (*fig.*); (*coll.*) small plot of ground
terroso dirty
terso smooth
tersura smoothness
testarudez *f.* pig-headedness
testigo witness; second (at a duel)
tétrico gloomy
texano *adj.* Texas-style; (*var.*) **tejano**
tía aunt; **———s idiotas** silly old biddies
tibio lukewarm (*fig.*); warm
tibor *m.* large Chinese earthen jar
tiempo time; **en ——— de** at the time of; **a ——— que** at the time that; **hace algún ———** some time ago
tienda store; **——— de abarrotes** grocery store
tientas: a ——— gropingly
tierno tender, delicate; affectionate
tierra land, country, earth
tierruca (*dim. of* **tierra**) (used in an endearing manner)
tieso stiff
tifo typhus
tijeras *f. pl.* scissors, shears
tila flower of linden tree (used to prepare a sedative tea)
timadora swindler
timbre *m.* bell; small bell (on a horsedrawn carriage); door bell; tone (of voice)
tinieblas *f. pl.* darkness
tino insight, wisdom
tinte *n.m.* (*fig.*) coloring
tío uncle
tira strip
tirante *adj.* strained (manner)
tirar to throw, pull
tiritar to shiver
tiro bullet; report (of gun)
tirón: de un ——— all at once
títere *n.m.* puppet
titubeo hesitation
titularse to call oneself
título de abogado law degree
tocar to touch
todavía still, yet
todo *adj.* all; *m.* whole; *m. pl.* everybody; **con ———** still, however; **de ———s modos** at any rate, anyhow; **——— el mundo** everybody
tomar to take, get; **——— el pelo a** (*coll.*) to make fun of
tonada melody
tonelada ton
tonto foolish; *n.m. and f.* fool; **——— de capirote** (*coll.*) blockhead
tontuela foolish girl
too *coll. for* **todo**
toque *m.* flash, sound
torcaz *f.* (*pl.* **torcaces**) grey wild pigeon with a white neck
torcer (ue) to turn (to right or left); **———se** to twist
tormentoso stormy (*fig.*)
tornar to return, give back
torno: en ——— around
torpe *adj.* stupid
torpeza stupidity
tortilla (*Mex.*) thin pancake made of cornmeal
torre *f.* tower
tosco rough, uncouth
tostado tanned (by sun)
traducido changed
traer to bring, carry
trafaguear (trafagar) to move, roam about
tragacura *m.* hypocrite (anticlerical attitude of the time); *lit.* one who eats *or* devours priests **(tragar + cura)**
traición treason
traicionar to betray
traje *m.* suit; **——— de calle** business suit; street dress
transcurrir to pass (time)
transeúnte *m. and f.* pedestrian, passer-by
transigir to settle, compromise
transitar to go from place to place; to travel
transpirar to perspire
tranvía *m.* streetcar; **——— eléctrico** streetcar
traquetear (*var. of* **traquear**) to rattle; to start (motor of car)

tras behind; ——— **de** behind
trascender (ie) to smell
traslúcido (*var. of* **translúcido**) translucent
traslucir to figure out
trasnochador *m.* nightwatchman
trasponer (*var. of* **transponer**) to disappear behind; to go through
trastabillante *adj.* rickety
tratar to deal with; ———**se de** + *inf.* to be a question of + *ger.*
trato *m.* way of acting
través: a ——— **de** through, across
traza appearance, looks
trazado outline
tremar to tremble; to vibrate
trémulo quivering, flickering
trepar to climb
trepidar to vibrate, shake
trigo wheat
tristeza sadness
troglodita *m.* troglodyte (cruel, brutal person)
trompeta bugle
tronar (ue) to thunder, crash
tronco trunk
tropel: en ——— mad rush
tropelío (*common usage for* **tropelía**) mad rush
tropezar (ie) to slip, stumble; ———**se con** to stumble over, encounter
trueno thunder
tugurio hut, hovel
tumba grave
tumbado tumbled together
turbación confusion
turbar to disturb, be upset
turbio troubled, confused
tutear to be on close *or* intimate terms with (to speak in the familiar **tú** form)

ufanarse de to boast of; to pride oneself on
último last, latest
umbral *m.* threshold
único only, solely; **lo** ——— the only
unirse to unite, join
uno one; *pl.* about
uña claw; fingernail
urbanamente politeness
urbanidad politeness, manners
urgir to be urgent
usarse to be the custom, be done
uso use; **al** ——— according to custom
útil *adj.* useful
utilidad profit

vaca cow
vaciarse to empty, pour
vacío emptiness, empty
vagar *n. m.* leisure; idleness; *v.* to wander, roam
vajilla set of dishes
valentía valor, bravery
valer to be worth; to be equivalent
valetudinario *adj. and n. m. and f.* valetudinarian
válgame (*3rd sing. pres. subj. of* **valer**) *interj.* **¡**——— **Dios!** so help me God! bless my soul!
valioso valuable
valor *m.* value (money); courage; *m. pl.* securities, valuables; ———**es en papel** valuable papers; ———**es efectivos** cash; negotiable securities
vano vain; **en** ——— in vain
vapor *m.* steam; **hacer** ——— to get up steam
vaqueta leather; ——— **amarilla** crude leather
varita (*dim. of* **vara**) **de virtud** magic wand
vaso glass, vase
vasto vast
vé *2nd. sing. impv. of* **ir**
vecindad tenement type apartment house; neighborhood
vecino *adj.* neighboring; *n.* neighbor
vejete *m.* (*coll.*) silly old fellow
vela candle
velado veiled, hidden; wary
veliz *m.* (*pl.* **velices**) suitcase
velo veil
vencedor *m.* victor; *adj.* conquering
vendar to bandage
vender to sell
veneciano *adj.* Venetian
venenoso poisonous
venta sale
ventaja advantage

ventana window
ventanilla (*dim. of* **ventana**)
ventarrón windstorm, gale
ver to see, look at; ——**se** to be seen; to find oneself; **tener que** —— **con** to have to do with
veras: de —— really
verdad *f.* truth, true; **a la** —— truly, really; **en** —— truly, really; **a decir** —— to tell the truth
verde *adj.* green
verdinegro dark green
verdor *m.* verdure
vergüenza shame, pride
verter (ie, i) to pour, spill
vértigo dizziness
vertiginoso dizzy
vestido dress; **bien** —— well dressed
vestir (i) to dress; ——**se** to dress oneself; *n. m.* appearance (of one's clothes)
vetusto aged, very old
vez *f.* (*pl.* **veces**) time; **pocas** ——**ces** seldom; **a veces** sometimes; **alguna** —— sometime; **otra** —— again; **en** —— **de** instead of; **de una** —— once and for all; **a la** —— at the same time; **a su** —— on his part
viajar to travel
viaje *m.* journey, trip; —— **de recreo** pleasure trip; **estar de** —— to be on the way
víbora snake
vibrar to ring out (bells)
vicio vice
vidriera glass door
vidrio de colores stained glass
viejo *adj.* old
viento wind
vientre *m.* stomach, belly
vigilante *m.* watchman, guard; overseer in office
vil *adj.* vile, base
vínculo relationship
vinillo (*dim. of* **vino**)
violar to violate
violentar to do violence to; ——**se** to force oneself to
violento violent; impetuous; unnatural
visillo window curtain
vislumbrar to suspect; ——**se** to glimmer, appear indistinctly
vistoso flashy, garishly (colored)
viuda widow
vivo *adj.* vivid, bright; effective
vocablo term, word
voceador *m.* newspaper vendor
vocerío shouting, uproar
voces (*pl. of* **voz**)
volado exploded
volar (ue) to jut out; —— **a** + *inf.* to fly to + *inf.*
volcar (ue) to upset
voltear to upset, turn, spin around
voltereta about-face
voluntad will, desire
volver (ue) to turn, return; —— **en sí** to come to oneself; —— **a** + *inf.* again (*e.g.* **volvió a leer ese libro** he read the book again)
vóytelas (*coll.*) there they go!
vuelco upset; **dar un** —— to turn over
vuelta: dar ——**s** to whirl; **de** —— again
vuelto (*p.p. of* **volver**) changed to, turned around

ya already, now, finally, at once
yanqui *adj. and n.* North American
yaqui Indian tribe in northern Mexico
yendo (*ger. of* **ir**)
yergue (*3rd. per pres. ind. of* **erguir**)
yerro error, mistake
yugo yoke

zacatecano *adj.* one who lives in *or* comes from the state of Zacatecas, Mexico
zagalejo lad
zaguán *m.* vestibule, entrance hall
zahurda pig pen
zanquilargo long legged
zapatista follower of Emiliano Zapata
zapato shoe
zozobra anxiety, worry
zumbar to buzz, hum
zumbón *adj.* playful, waggish
zurcir to darn, to mend